GUILHERME FIUZA

O PASSADO PROMETE

UM NOVO BRASIL NO RETROVISOR

Avis Rara é um selo da Faro Editorial.

Diretor editorial **PEDRO ALMEIDA**
Coordenação editorial **CARLA SACRATO**
Assistente editorial **LETÍCIA CANEVER**
Revisão **BÁRBARA PARENTE**
Diagramação **OSMANE GARCIA FILHO**
Imagens de capa **FARO EDITORIAL**
Imagens de miolo **REPRODUÇÕES DE JORNAIS E REVISTAS DA ÉPOCA**

Dados Internacionais de Catalogação na Publicação (CIP)
Jéssica de Oliveira Molinari CRB-8/9852

Fiuza, Guilherme
O passado promete : um novo Brasil no retrovisor / Guilherme Fiuza. — São Paulo : Faro Editorial, 2024.
224 p. : il.

ISBN 978-65-5957-498-8

1. Ficção brasileira 2. Brasil — Política e governo — Ficção I. Título

24-0115 CDD-B869.3

Índice para catálogo sistemático:
1. Ficção brasileira

1ª edição brasileira: 2024
Direitos de edição em língua portuguesa, para o Brasil, adquiridos por FARO EDITORIAL

Avenida Andrômeda, 885 — Sala 310
Alphaville — Barueri — SP — Brasil
CEP: 06473-000
www.faroeditorial.com.br

-- SUMÁRIO

-- NOTA DO AUTOR

A História, com H maiúsculo, pode ser enganosa?

Claro que não. O que passou, passou. Está vivido, superado, consolidado. O fato é o fato, pronto e acabado - não é um organismo vivo. O fato é uma entidade intangível, definitiva.

Mas e se...

Não tem "e se". O futuro pode ser o que você quiser, mas no passado ninguém mete a colher. Até rimou.

Mas e se um fato histórico for visto de uma forma por uns e de outra forma por outros?

Justamente por isso não existe o "e se": aconteceu, terminou, bota nos livros e não mexe mais. O 11 de Setembro não foi no dia 12. A Queda da Bastilha não foi em Nova York. Ponto-final.

Ok. A queda das torres gêmeas não desencadeou a Revolução Francesa. Mas e se o ideal de liberdade, igualdade e fraternidade tiver triunfado para uns e fracassado para outros?

Bom, se começarmos a interpretar tudo, não vai ficar pedra sobre pedra. Nem as pirâmides ficarão de pé.

Certo. Mas não é legítimo fazer revisão histórica?

Pode ser. Vai depender de quem fizer...

Qual seria então a forma segura de olhar pelo retrovisor? De lançar uma visão nova sobre fatos passados?

Só existe uma forma 100% segura: abandonar a verdade.

O quê?!

Isso mesmo que você leu - e que faremos neste livro: um mergulho ficcional na história recente do Brasil. Como seria se não fosse?

Os símbolos que nortearam a construção da democracia brasileira são sólidos? Ou podem ter sido enganosos? Vamos dar uma revirada neles?

Um político de primeira grandeza perseguido pelo regime militar e adversário também da chamada "esquerda" morre subitamente em 1977. Essa é a história real.

E se essa morte tiver sido provocada?

E se, nesse caso, o atentado tivesse falhado?

E se?

Esse é o ponto de partida da nossa ficção. Daí em diante vamos pintar e bordar com a História.

Você vai reconhecer personagens reais e fatos históricos. Eles estarão entrelaçados em situações fantasiosas. Mas se você achar que a fantasia está te falando verdades, o problema é seu. E o prazer é todo meu.

VASCO CAMPEÃ
nervoso e pau a pau
gas na rede oficial
TANCREDO NEVES
ELVIS PRESLEY IS DEA
DAILY SALE
JORNAL DO BRASIL
Sarney
CONSAGRAÇÃO POPULAR LEVOU O EX-PRESIDENTE
JK NO CORAÇÃO

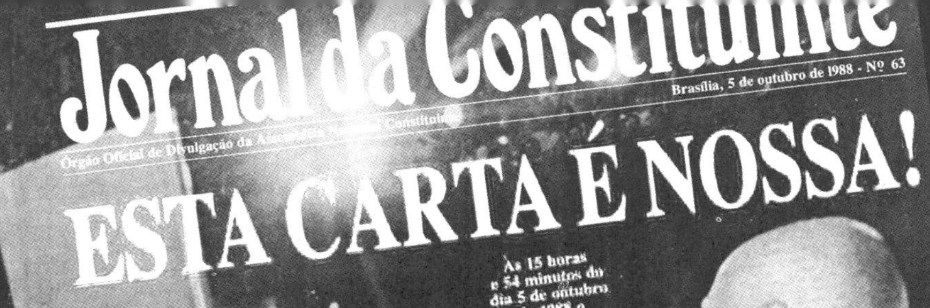

Jornal da Constituinte

Brasília, 5 de outubro de 1988 - Nº 63

Órgão Oficial de Divulgação da Assembléia Nacional Constituinte

ESTA CARTA É NOSSA!

Às 15 horas e 54 minutos do dia 5 de outubro de 1988 o deputado Ulysses Guimarães declarou promulgada a nova Constituição. Você agora é um cidadão da República Federativa do Brasil!

Política

Brizola e promete ajuda

Foto de Delfim Vieira

Niomar Sodré

RIO

u Nos

o Povo

FOLHA DE S.PAULO

Por pequena margem de votos no Congresso a medida deixa de ser ampla e irrestrita

Aprovada a anistia do governo

GAZETA MERCANTIL

O PASSADO PROMETE

AVISEM QUE MORRI

Depois de muito sofrimento, o Brasil chegou ao seu final feliz. E chegou com mais de três anos de atraso. A eleição de Tancredo Neves para a Presidência da República tinha sido o final feliz que não houve, o requinte de crueldade contra as esperanças de um povo. Com Tancredo, o Brasil chegou lá, mas não chegou. A morte antes da posse, logo daquele em torno do qual a sociedade parecia finalmente unida, marcou a ferro a alma brasileira. Parecia se confirmar a sina de um país condenado a morrer na praia.

Pouco mais de três anos depois, no entanto, veio de fato o final feliz. Ao menos era o que se depreendia do noticiário. O Brasil não tinha Tancredo, mas tinha uma nova Constituição. E ela ia botar tudo nos eixos. Até que enfim.

"Temos ódio à ditadura. Ódio e nojo!", disparou o presidente da Assembleia Nacional Constituinte, deputado Ulysses Guimarães, no dia 5 de outubro de 1988. O brado foi saudado por aplausos ruidosos dos parlamentares que acompanhavam no Congresso a promulgação da nova Constituição brasileira. A frase contundente do Doutor Ulysses, como era chamado o deputado do PMDB, dominou as manchetes. Era o estandarte da redemocratização.

Ninguém desafinou o coro triunfante, nenhuma voz objetou a mensagem do final feliz. No dia seguinte, o Congresso estava em festa — os representantes do povo repetindo a toda hora as duras (e já imortais) palavras de Ulysses contra a ditadura —, até que o consenso foi inesperadamente arranhado por alguém:

— Ódio e nojo? Isso é maneira de afirmar a democracia? Vocês não acham estranho repudiar um regime de força com "ódio e nojo"? Será que os arautos dos novos tempos de paz e liberdade não estão usando o idioma dos tiranos? Acabou ou não acabou o tempo de odiar?

A interpelação na contramão da celebração geral não pegou bem. Todos se viraram para o fundo do plenário da Câmara dos Deputados, de onde viera o questionamento inconveniente, e um dos integrantes da mesa diretora perguntou quem tinha quebrado o protocolo. O transgressor não se escondeu:

— Fui eu, excelência. Carlos Lacerda.

O interlocutor devolveu desconcertado, em meio ao murmúrio geral:

— Carlos Lacerda faleceu há mais de dez anos. Segurança, contenha o intruso e faça-o se identificar.

O resultado da checagem foi perturbador. Não só pelos documentos de identificação, como pela fisionomia, quem estava ali, no fundão do "baixo clero", parecia ser mesmo o ex-deputado Carlos Lacerda.

Agora o próprio Doutor Ulysses entrava na conversa, de sola:

— Não é possível. Todos viram o funeral do Lacerda em 1977. Esse aí só pode ser um impostor bem montado. Hoje as cirurgias plásticas fazem milagres.

Os funcionários da segurança estavam imóveis, divididos entre a averiguação inicial e a menção de desconfiança do presidente da Constituinte — o homem mais poderoso do país no momento. Ulysses não gostou da imobilidade e foi mais incisivo:

— Um sujeito que se infiltra no Congresso Nacional para maldizer a nova Constituição só pode ser um delinquente. Detenham-no.

— É assim que você vai inaugurar a nova democracia brasileira, Ulysses? Calando quem discorda de você? — provocou o suposto Carlos Lacerda.

— Não estou calando ninguém, nobre farsante. Não inverta as coisas. É a nova democracia brasileira que está sendo atacada por você, única criatura neste país que não gostou do meu repúdio à ditadura militar.

— Engano seu. Fui perseguido e calado pelo regime autoritário. Não tenho nenhuma razão para não repudiá-lo. O que achei estranho, e continuo achando, é a promulgação da "Constituição Cidadã" com uma declaração de ódio.

Meio contraditório, não? Mais estranho ainda é que absolutamente ninguém neste país tenha se incomodado com isso. Será que não estamos gestando um novo tipo de autoritarismo?

— Como assim?! Autoritarismo onde, infeliz? Você é só um provocador. Nesse ponto até lembra mesmo o Lacerda...

— Obrigado. Então agora vou lhe provar que sou o verdadeiro Carlos Lacerda. Não com documentos ou perícias. Quem mais poderia criticar a complacência do país com o seu discurso paradoxal, Ulysses? Com a sua exortação odienta à pacificação democrática? Quem mais poderia alertar que pode estar nascendo aqui a tirania de boa aparência?

— Você não sabe o que está dizendo...

— Não sei mesmo. É só um pressentimento. Vendo o seu discurso virtuoso que nega a si mesmo, imaginei o que seria o império da demagogia: palavras bonitas embalando os piores propósitos, gritos por liberdade encobrindo o cerceamento do indivíduo. Já pensou? Tomara que seja só um pessimismo paranoico da minha parte.

A essa altura, a maioria dos parlamentares já nem murmurava. Entre os que gostavam e os que detestavam Carlos Lacerda, a única certeza era de que o espírito do lendário ex-deputado estava presente à sessão. Ao notarem que Ulysses Guimarães não levaria adiante a polêmica inusitada, no entanto, um grupo de deputados importantes do PMDB decidiu enquadrar o provocador.

Se alternando nas flechadas, grandes nomes da transição democrática como Ibsen Pinheiro e Antonio Britto — o porta-voz de Tancredo Neves que anunciou a sua morte — passaram a recolocar as coisas nos seus devidos lugares: em primeiro lugar, Ulysses Guimarães era o Senhor Diretas, talvez o principal símbolo da luta pela reconquista do direito ao voto popular; em segundo lugar, o Doutor Ulysses tinha sido fundamental na ascensão de Tancredo à Presidência — e depois de sua morte tornara-se uma espécie de guardião do espírito dele, que representava a união nacional em torno da democracia. Ou seja: era inatacável.

— Não estou atacando o Doutor Ulysses — rebateu o homem que dizia ser Carlos Lacerda. — Estou chamando a atenção de todos para o perigo da mitificação que embaça os erros. Ulysses podia ser o representante de

Tancredo, mas hoje é o representante de Sarney, ou Sarney é o representante dele, a gente nunca sabe.

O mal-estar voltou a paralisar a Câmara. O crítico solitário continuou seu manifesto do fundo do plenário:

— E a "Nova República" de Sarney está repleta de autoritarismos. Desde o congelamento inútil dos preços até o prolongamento do mandato do presidente, que, aliás, é presidente por acaso. Disso não me parece que o Doutor Ulysses tenha ódio e nojo.

Dessa vez, a inércia geral foi rompida por um grito potente vindo das galerias:

— Tirem esse golpista daqui!

Como se acordasse para o absurdo de um franco-atirador esculhambar em pleno Congresso Nacional o grande fiador da democracia, a cúpula do PMDB resolveu intervir. A polícia legislativa foi acionada com a determinação de prender o aventureiro. Se dirigiu ao fundo do plenário para executar a ordem. Quando chegou lá, o homem tinha sumido.

* * *

— O paciente sumiu!

O grito da enfermeira ecoou na Clínica São Vicente, na Gávea, Rio de Janeiro.

Na madrugada do dia 21 de maio de 1977, o ex-governador da Guanabara estava internado para a realização de uma série de exames. Seu estado de saúde era bom ao dar entrada no hospital. Nenhum sintoma agudo, nenhuma doença grave. De repente o médico de plantão reportou à equipe que acompanhava o ex-governador o enfraquecimento acelerado dos seus sinais vitais.

Após o grito de alerta da enfermeira, o responsável médico foi comunicar à direção da clínica o desaparecimento do paciente. O diretor acionado achou que "desaparecimento" fosse uma forma solene de dizer "falecimento", já que pacientes não desaparecem de leitos. Mas o médico, aturdido, fez a retificação:

— Nem sei como dizer isso ao senhor, mas o paciente Carlos Frederico Lacerda sumiu.

Ainda com a máscara cirúrgica que usou para não ser reconhecido nos corredores, pisando de leve para não chamar atenção no silêncio da madrugada, Lacerda pulou dentro de um táxi que manobrava no pátio após deixar um passageiro na recepção da clínica.

— Desculpe, senhor. Já encerrei por hoje. Essa foi a minha última corrida.

— Companheiro, eu estou escapando da morte. Não me negue essa chance de fuga.

Na dúvida se estava diante de um encrencado ou de um louco, o taxista achou mais seguro levá-lo dali. No percurso, preocupado com o silêncio absoluto do passageiro mascarado, o motorista arriscou:

— O senhor disse que está fugindo. Tem alguém vindo atrás de nós? Tenho família pra sustentar...

— Não, ninguém me viu. Não estamos sendo seguidos, pode ficar tranquilo.

— Querem matar o senhor?

— Não sei. Querem que eu morra.

— Qual é a diferença?

— A diferença é entre matar e fazer morrer.

O taxista achou melhor fingir que tinha entendido para não esticar a conversa, um tanto exótica para quem só queria encerrar o expediente e cair na cama. Mas o passageiro agora queria falar:

— Quem quer matar, vai lá e mata. Quem quer fazer morrer não quer sujar as mãos. Terceirizar é bom, mas arriscado.

— Mais arriscado que matar?

— Claro. Corre o risco de ficar com as mãos limpas e sem o cadáver...

— Ah...

Nessa hora, o taxista prometeu a si mesmo não perguntar mais nada e se concentrar só em chegar em casa inteiro, mas a palestra soturna ainda não tinha acabado:

— Já aconteceu comigo.

— Mandar matar? — não se conteve o motorista, descumprindo em segundos a promessa de ficar calado.

— Não. O contrário. Mas só acertaram minha perna e mataram outra pessoa. Foi aqui perto. Ou seja, queriam fazer morrer e não fizeram direito.

— E agora tentaram de novo?

— Não sei. Isso já faz tempo. Vinte e três anos.

— Mas o senhor entrou no meu táxi dizendo que estava escapando da morte.

— Os que querem que eu morra agora são outros. Ouvi lá na clínica alguém dizendo "a encomenda está pronta". Não sei se ouvi ou se sonhei. Na dúvida, me mandei.

— O seu destino é...

— Quem sou eu para saber o meu destino. Só Deus sabe. O que sei é que me sinto muito bem aos 63 anos e é cedo para morrer.

— Sem dúvida. Mas perguntei qual é o seu destino, quer dizer, qual o destino desta corrida. O senhor ainda não me disse para onde vai.

— Só Deus sabe.

Se o taxista tinha suspeitado no início de que poderia estar entrando numa enrascada, agora ele tinha certeza. Ficou sem ação diante da resposta inusitada e apenas continuou acelerando sua Brasília 73 para onde o nariz apontava. Já o nariz do passageiro, volumoso, esticava a máscara cirúrgica apontando como uma arma para sua nuca.

— Me leva pra longe daqui.

O motorista engoliu em seco:

— É uma ordem?

— Claro que não. Como eu poderia te dar ordem?

— Porque o senhor está armado.

— Não estou.

— Não mesmo?

— Quer me revistar?

— Se eu soubesse que não estava armado nem tinha deixado você ficar no meu táxi.

— Ué, passou a me chamar de "você"? Só usa "senhor" pra quem anda armado?

O táxi parou com uma freada brusca.

— Pula fora, maluco. Já te dei conversa demais.

Lacerda ficou imóvel. O taxista saltou, abriu a porta de trás e repetiu, mais ríspido, a ordem para que o passageiro pulasse fora. Mas ele continuou estático. E falou baixo:

— Te dou dois tanques de gasolina.

Dessa vez foi o motorista que ficou sem ação. Lacerda ampliou a oferta:

— Dois tanques e o dobro do valor da corrida. E já falei que vou pra longe.

Exausto, o taxista que só sonhava com a sua cama antes de entrar naquela corrida maluca agora era obrigado a refletir. Se o passageiro não estivesse blefando, tratava-se de uma proposta irrecusável. Se a recusasse, não conseguiria dormir. Tinha que ao menos checar:

— Como é que eu vou saber se você tem essa grana?

Talvez no fundo ele preferisse que fosse um blefe. Aí era só se livrar do biruta e se mandar para casa a salvo de confusão. Mas Lacerda abriu a carteira e mostrou dinheiro mais que suficiente para um mês de taxímetro. Vendo o motorista desnorteado, mudou um pouco o rumo da prosa:

— Companheiro, qual é o seu nome?

— Por quê?

— Porque nome é identidade. Quero conversar com você de homem pra homem.

— Juscelino.

— Kubitschek?

— É.

— Fala a verdade.

— Já falei.

— Sei. Juscelino Kubitschek de Oliveira.

— Não. Juscelino Kubitschek dos Anjos.

Incrédulo, o passageiro perguntou se Kubitschek era pelo lado da mãe.

— De certa forma, sim.

— Como "de certa forma"? Não existe descendência "de certa forma".

— É porque meu pai queria Juscelino. Aí a minha mãe disse que Juscelino tinha muitos. Pra todo mundo associar com o JK, ela disse que tinha que ter Kubitschek também. Então de certa forma sou Kubitschek por parte de mãe. E o senhor? Como se chama?

— Carlos Lacerda.

— Como o ex-governador.

— Não. Eu sou o ex-governador.

Lacerda tirou a máscara e o taxista o encarou perplexo. Nesse momento, um carro da polícia se aproximou, jogando os faróis sobre o táxi. Juscelino Kubitschek pulou no volante e acelerou com Carlos Lacerda para longe dali.

* * *

No meio da madrugada, debaixo de um temporal, Lacerda e Juscelino se espremiam sob um orelhão na Baixada Fluminense. O passageiro precisava ligar para casa. Fugira do hospital sem se comunicar com ninguém. E disse que não ficaria sozinho num orelhão naquela hora e naquele local nem a pau.

O taxista tinha 1,90m de altura, mais de cem quilos e menos de quarenta anos, ou seja, foi escalado sumariamente como guarda-costas do ex-governador.

Ele estava impressionado desde que Lacerda tirou a máscara. Nunca tinha conduzido um passageiro tão importante, ainda mais naquelas circunstâncias: perseguido pelo governo militar e, alegadamente, escapando da morte. Aquilo mudava completamente a situação e não dava para negar a escolta, mesmo sabendo que um major já tinha sido morto enquanto fazia a segurança do homem que agora estava ao seu lado.

Antes de parar o carro para o telefonema, Juscelino explicou que até aceitaria continuar dando fuga a Lacerda, mas precisava passar em casa para falar com a família. E argumentou que seria melhor aproveitarem para dormir um pouco, até a hora que o posto de gasolina mais próximo abrisse. O passageiro não tinha escolha e seguiu com seu condutor para Duque de Caxias.

— Mas lá em casa o senhor vai ter que ficar escondido.

— Ninguém vai me achar no meio da Baixada.

— Não é isso. Vou ter que esconder o senhor da minha mãe.

— Como assim?

— Moro com a minha mulher, meus filhos, meus pais e um tio. Não tem problema com nenhum deles. Só com a minha mãe.

— Por quê?

— Como falei, ela é fã do JK. E o senhor foi um adversário duro do ex-presidente.

— Sim, mas depois nós nos aproximamos e...

— Pois é, doutor. Mas o sentimento ficou. Minha mãe odeia o senhor.

— Odeia?

— Ódio mortal.

Dessa vez o passageiro engasgou. O motorista prosseguiu:

— E não faz sentido eu estar ajudando o senhor a escapar da morte e colocá-lo na frente da minha mãe. Ela é cozinheira e tem umas facas bem afiadas. É uma pessoa tranquila. Mas quando explode, o pessoal lá em casa sai de perto, por segurança.

Homem forjado nos grandes embates da vida, experimentado nos conflitos mais duros, Lacerda ficou embaraçado como nunca com a notícia daquela fúria maternal. Mas não podia passar recibo. Afinal, alguém que está em confronto com o sistema não pode se mostrar acuado por uma mãe.

— Pois eu faço questão de conhecer a dona... Como se chama a senhora sua mãe?

— Diamantina.

— O nome da cidade natal do Juscelino!

— Exato. Ela também é de lá. O nome de batismo é Maria José, mas ela foi cedo para Belo Horizonte e pegou esse apelido por causa da origem. Até meu pai só a chama de Diamantina.

— Tenho certeza de que vou me dar bem com a dona Diamantina. Rapaz, eu já fiquei amigo do Mario Lago, meu adversário comunista. Já me entendi com o Jango, que me acusava de ter tramado a derrubada dele. O próprio JK, que um dia me ouviu protestar contra sua posse na Presidência, morreu em paz comigo...

Foi interrompido pelo xará do ex-presidente, assim batizado quando Juscelino foi eleito prefeito de Belo Horizonte:

— Justamente sobre isso que eu ia falar. No ano passado, depois que o JK morreu naquele acidente horrível, e pouco depois foi o Jango, minha mãe ficou revoltada e disse: "Morre todo mundo, menos o Lacerda".

Agora o rei da argumentação não tinha mais resposta. Não havia saliva que resistisse àquela bofetada.

Falando no acidente automobilístico que matou JK, o taxista aproveitou para perguntar a Lacerda se ele achava que tinha sido acidente mesmo. Nem sobre isso o passageiro conseguiu falar, ainda que o assunto lhe interessasse bastante.

A chuva apertou na Baixada Fluminense e Lacerda fez uma constatação tática: se ia ter que ficar escondido de dona Diamantina, não poderia usar o telefone da casa do motorista. Se rendendo à clandestinidade dentro da clandestinidade, decidiu:

— Bom, então vamos ter que parar num orelhão. Preciso avisar à minha família que morri.

— Avisar que não morreu — corrigiu Juscelino.

— Não. Avisar que morri, mesmo. Vou ter que desaparecer.

FOLHA DE S. PAULO

UM JORNAL A SERVIÇO DO BRASIL — ANO XLVI — SÃO PAULO, 5.ª-FEIRA, 27 DE OUTUBRO DE 1966 — N.º 13.647

Manifesto da Frente sai: Lacerda assina sozinho

ÍNTEGRA DO DOCUMENTO NA PÁG. 8

Ladrões mascarados assaltam restaurante

Pág. 16

Alto Comando debate atualidade politica

RIO, 27 (FOLHA) — Com a presença ... no Ministerio da Guerra, o Alto Comando ... da Guerra e dos generais ... do Exercito, a fim de tratar de questões ... Escobar, Adalberto Pereira ... passar em revista a situação ... Bizarria Mamede, Orlando ... país. ... Souza Aguiar, Carlos Luis ... Cabral e Augusto Fragoso. ... respectivamente, do Estado ... do I, II, III e IV Exercito ... EMFA, reuniu-se na manhã ... para a manhã ... para hoje

... o manifesto da Frente Ampla

Frente Ampla une Lacerda, Jango e JK contra ditadura e por volta da democracia

Movimento articulado pelo ex-governador da Guanabara, que apoiara golpe de 64, criou aliança com os ex-presidentes, todos perseguidos do regime. Grupo foi proibido em 1968

FOTOGALERIA

EM FOCO: FRENTE AMPLA, LACERDA, JK E JANGO

VEJA TAM...

Sandro Macedo*

Movimento político contra a ditadura e pela volta da democracia ao país, articulado pelo ex-governador da Guanabara (1960-1965) e apoiador do golpe de 1964 Carlos Lacerda (UDN-GB), a Frente Ampla surgiu quando o político percebeu que estava sendo afastado das decisões pelos militares. Es... se acentuou a partir da derrota de s... Carlos Flexa R... ...cação, (PSD... de Lima ...ubro de ...marechal- ...o, em 27 ...sidente, ...ato ...ção e ...do

diário da tarde

Peritos de Belo Horizonte para o incêndio da Serraria Malatesta — página oito

FUNDADOR DOS DIARIOS ASSOCIADOS — ASSIS CHATEAUBRIAND — Juiz de Fora — Segunda-feira, 23 de agosto de 1976 — Hoje: 8 páginas — Cr$ 1,00 — Ano XXXV — N. 7.313

MORREU JUSCELINO

O ex-presidente da República, Juscelino Kubitschek de Oliveira morreu às 15,40 de ontem, quando o carro em que viajava, um Opala, chocou-se contra uma carreta na Rodovia Presidente Dutra, proximidades da localidade de Engenheiro Passos. Seu motorista (há 36 anos), Geraldo de Oliveira também morreu. JK nasceu em Diamantina em 1902. Pág. 7

TUPI VOLTA QUENTE: 2 X 0

O SEGREDO DE ELVIS

Um homem alto e forte empurrando em alta velocidade um senhor de máscara e cobertor numa cadeira de rodas chamou a atenção de um segurança da Câmara dos Deputados.

— Devagar aí, companheiro! Assim tu bota o doente em risco. Cadeira de rodas não é skate, não.

O condutor aloprado respondeu sem parar:

— Eu sei, amigo. Desculpe! É que a pressão dele caiu muito, preciso internar urgente. Falei pra não vir trabalhar...

Chegando ao estacionamento, certificando-se de que não tinha ninguém olhando, Carlos Lacerda se levantou da cadeira de rodas e pulou no táxi de Juscelino Kubitschek, que saiu acelerando para longe da Praça dos Três Poderes.

— Foi por pouco, hein, doutor?

Lacerda não respondeu. Ainda estava ofegante, tentando recuperar o fôlego perdido na fuga e no embate com Ulysses Guimarães.

— Respira, doutor. Pra 74 anos o senhor está um atleta. Quando a polícia da Câmara apareceu no corredor, o senhor já tinha se encaixado na cadeira de rodas, mascarado e coberto. Saiu do plenário tão rápido que não veio nenhum deputado atrás do senhor.

— Os deputados não vieram atrás porque têm medo de mim — retificou Lacerda, retomando o fôlego e a marra.

— Desculpe, doutor. De fantasma todo mundo tem um pouco de medo.

— Quem é fantasma, Juscelino?!

— Não me leva a mal, doutor Lacerda. É que o senhor ficou desaparecido por uma década. O pessoal acreditou que era o senhor mesmo?

— Não sei. Mais ou menos.

— Lá de fora não deu pra ouvir nada.

— Eles ficaram atordoados. Não por causa do fantasma. Mas porque eu falei o que ninguém quer ouvir. Estraguei o conto de fadas. Ou pelo menos espero ter estragado.

O táxi de Juscelino deu algumas voltas pelo Plano Piloto até a dupla ter certeza de que não estava sendo seguida. Quase chegando ao hotel onde Lacerda estava hospedado com nome falso, ouviram no rádio a notícia: um louco de terno e gravata tinha invadido a Câmara dos Deputados dizendo ser Carlos Lacerda e insultado o presidente da Constituinte, Ulysses Guimarães.

— Mentira! Eu não insultei ninguém!

— Calma, doutor. O senhor desafiou o homem, é só isso que eles estão dizendo...

— Não é isso, não! Estão dizendo que eu insultei. A imprensa continua escolhendo seus heróis e advogando pra eles. Vergonha! Isso não é jornalismo nem aqui, nem na China. Quer dizer, na China talvez seja.

A notícia prosseguia com a informação de que o deputado Ulysses Guimarães não quisera comentar o incidente e dava o caso por encerrado.

— Encerrado nada, Ulysses. O caso está só começando!

Juscelino interveio:

— Doutor Lacerda, o senhor precisa esfriar a cabeça. Não se esqueça de que não estamos mais em Duque de Caxias, nem em Petrópolis. Estamos em Brasília.

— E daí? O que é que tem Brasília? Você é Juscelino Kubitschek, mas a única Brasília que você conhece é esse seu carro velho.

— Esse carro velho que o senhor pegou pra escapar da morte?

— É verdade. Desculpe.

— O problema não é Brasília, doutor. O problema é que o senhor está na clandestinidade há mais de dez anos e todos achavam que o senhor estava morto. Ou pior: continuam achando. Aí o senhor reaparece do nada e vai começar a circular normalmente por aí? Vão persegui-lo como impostor. É melhor voltarmos logo pro Rio.

O plano de Lacerda era uma saída relâmpago do esconderijo para questionar pessoalmente os rumos da redemocratização. Não aguentara mais acompanhar de longe o noticiário triunfante sobre a nova Constituição, que ele considerava "um saco de gatos" e "um festival de demagogia" — nas expressões que repetia para as paredes e para o minúsculo grupo de pessoas que sabiam que ele não tinha falecido na Clínica São Vicente em maio de 1977.

"A afirmação de que a nova Constituição vai ser a base de uma democracia sólida é tão falsa quanto o meu funeral", disparava, nos momentos de maior impaciência. Foi numa dessas explosões de inconformismo que Lacerda propôs a Juscelino irem de carro para Brasília.

O taxista se tornara o principal elo do ex-governador com o mundo real. Depois da fuga espetacular de madrugada do hospital na Zona Sul do Rio para a Baixada Fluminense — e do pernoite clandestino na modesta casa em Caxias, escondido da mãe de Juscelino, que o detestava —, Lacerda tinha sido conduzido pelo motorista para uma pequena chácara abandonada nos arredores de Petrópolis.

A propriedade era de um empresário norte-americano que ele conhecera em debates sobre a doutrina do liberalismo. Ficaram amigos nos Estados Unidos e o empresário, Donald Kalmar Jr., um construtor de origem húngara, acabou convencido por Lacerda a adquirir uma base brasileira na bucólica Serra do Mar. Era o momento da deposição de João Goulart, e o então governador da Guanabara prometia ao amigo estrangeiro que o Brasil passaria a respirar ares mais puros que os de Petrópolis.

Com o endurecimento do regime militar, que tornou os ares irrespiráveis para o próprio Lacerda, Donald Kalmar abandonou a chácara brasileira e não perdeu a piada:

— Carlos, se eu construísse meus shoppings com as suas previsões políticas, hoje eu seria dono de um ferro-velho.

Não perdeu a piada e nem o amigo, mas já sabia que levaria o troco, porque com aquele amigo sempre tinha troco:

— Em compensação, se você tivesse construído seus shoppings como eu construí o Túnel Rebouças, o sistema de águas do Guandu e o Aterro do Flamengo, a sua memória viveria para sempre.

— É verdade. Mas esse negócio de posteridade eu deixo pra você. Político é que gosta de achar que é eterno. Isso se não esquecerem as suas obras e passarem a lembrar de você só pelas brigas que você arrumou.

Aí os dois riram e concordaram. E repetiram o mesmo prognóstico patético quando Kalmar foi visitar Lacerda na clandestinidade, escondido nos fundos da sua chácara abandonada.

O construtor norte-americano chegou a Petrópolis em setembro de 1977, dessa vez sem informar a ninguém que estava indo ao Brasil. Para sua própria esposa, disse que iria prestar condolências à família de Lacerda, pois não tinha podido comparecer ao velório do amigo quatro meses antes. A informação de que o ex-governador estava vivo era um segredo compartilhado por menos de uma dezena de pessoas — e Donald Kalmar Jr. estava na ala dos que tinham certeza de que ele seria morto se reaparecesse.

— JK, depois Jango, depois Lacerda. Claro que você é a bola da vez — disse Donald, enquanto tirava os sapatos cheios de lama na entrada do esconderijo nos fundos da chácara.

O empresário não acreditava que os três líderes da Frente Ampla contra a ditadura pudessem ter morrido coincidentemente, de causas súbitas, num intervalo de menos de um ano:

— Você fez muito bem em fugir do hospital. A conversa que você ouviu sobre "a encomenda está pronta" não era outra coisa. Não iam te deixar sair vivo de lá.

— Donald, eu não sei se ouvi isso. Posso ter sonhado. Só sei que comecei a sentir uma paranoia forte...

— Pois então você fez muito bem em respeitar a sua paranoia. Não era paranoia.

Juscelino Kubitschek, o taxista, discordava. Ressalvando que não tinha grande conhecimento de política, considerava improvável que o desastre automobilístico no qual JK (o ex-presidente) morrera tivesse sido um atentado:

— De carro eu entendo. Sou motorista há 20 anos. Planejar matar alguém forçando um acidente na estrada tem mil possibilidades de falhar. Seria o atentado mais incerto do mundo.

— Com certeza essa era só uma das formas planejadas, meu caro — contrapôs Kalmar. — Por acaso foi a que funcionou. Se botassem um atirador como no caso do Kennedy, a crise ia virar contra eles.

Nessas horas Lacerda ficava pensativo. Sabia que era alvo, mas não sabia exatamente como. Um regime que tinha cassado seus direitos políticos queria-o, obviamente, fora de cena. E por já ter sido alvo de um atentado quando se opunha a Getúlio Vargas, sua tendência era achar que o regime militar também queria eliminá-lo.

Por outro lado, o governo do general Ernesto Geisel tinha um tom menos belicoso e não lhe parecia do tipo que mandaria matá-lo. Mas era só uma impressão. E emboscadas — ele sabia muito bem — não precisavam ser decisão de Estado.

Donald Kalmar achava que Carlos Lacerda não estava em segurança escondido na sua chácara. "Esses caras farejam tudo, vão acabar te achando", repetia o empresário sempre que podia estar pessoalmente com o amigo clandestino. Sua proposta era levar o ex-governador com sua esposa Letícia para os Estados Unidos até que houvesse a abertura política no Brasil.

Lacerda relutava. Não se via criando raízes no exterior longe dos filhos, dos netos e da sua editora, a Nova Fronteira.

— Já estão negociando a anistia, Donald. Daqui a pouco as coisas se acalmam.

— Já estavam falando de anistia e abertura quando JK e Jango foram mortos — rebatia o americano, tomando a sua tese como fato.

Kalmar achava que o esconderijo ficava especialmente vulnerável pelo fato de a chácara estar em estado de abandono e sem movimento de moradores ou frequentadores. "É o tipo de terreno em que eles prestam atenção", teorizava o construtor. Foi numa dessas que Lacerda teve a ideia de convidar Juscelino para morar na chácara.

O taxista ficou sem ação. Depois disse que ia pensar. Mas estava mentindo.

O inverno gelado na serra, indo e voltando do Rio na madrugada sem calefação para suprir o clandestino, apresentava sua conta — física e mental. Com a chegada da primavera ele já comunicara que ficaria dez dias sem ir ao esconderijo, para passear com a família em Cabo Frio. Era também um jeito de parar para pensar naquela operação de guerra iniciada por acaso no pátio de uma clínica.

Nunca conseguira explicar a si mesmo o que estava fazendo ali. A grana era boa comparada com seus ganhos na rua. Mas não pagava o risco gigantesco que ele passara a correr.

Apesar de batizado em homenagem a um ex-presidente da República, Juscelino nunca tinha se ligado em política. Aos seus passageiros que puxavam esse assunto ele dizia no máximo o clássico "são todos iguais" e não entrava na conversa. Mas no dia que o destino colocou no seu táxi o ex-governador da Guanabara, ainda mais numa insólita situação de fuga, foi como se ele estivesse vendo um palácio por dentro. Se impressionou com a imponência de Lacerda, mesmo enfiado no banco de trás do seu táxi implorando por uma corrida maluca.

O fato de sua mãe ser getulista, juscelinista e antilacerdista aumentava o seu interesse pelo personagem, não por admiração ou por repulsa. Como sempre acontece com as figuras públicas, o Lacerda dos jornais, da TV e dos xingamentos de dona Diamantina era diferente do Lacerda passageiro do seu táxi. Não em termos de discurso ou ideário político, mas pela reação às coisas da vida: da subida da gasolina a um quebra-molas construído no lugar errado, passando pelos resultados do futebol, o ex-governador se ligava em tudo — e tinha opinião sobre tudo.

O futebol, aliás, era onde Lacerda e Juscelino tinham seu ponto de atrito. Apesar das circunstâncias hostis em que se encontravam, com o nível de tensão sempre alto, acabavam conseguindo se entender. Menos quando se tratava de Flamengo e Vasco — respectivamente os times do político e do motorista. Quando Zico e Roberto Dinamite entravam em campo, a atmosfera no esconderijo virava chumbo. Sem anistia.

E foi num dia de clássico no Maracanã que Juscelino decidiu abandonar Lacerda de vez.

A final do campeonato carioca de 1977 entre Vasco e Flamengo terminou empatada e foi para a decisão por pênaltis. O taxista e o ex-governador ouviam o jogo praticamente de rosto colado, porque o radinho de pilha tinha que ficar no volume mínimo para não chamar a atenção de algum eventual passante da área. O alojamento clandestino ficava nos fundos do terreno, numa pequena casa de caseiros.

O Flamengo já tinha perdido um pênalti e a última cobrança do Vasco ficou para Roberto Dinamite. Se marcasse, fim de papo. Quando o locutor anunciou que o astro da Cruz de Malta partira para a cobrança, Lacerda desligou o rádio.

Pela primeira vez, Juscelino gritou com ele, furioso, já tentando religar o aparelho. Mas o ex-governador deu um pinote e se trancou no banheiro com o rádio desligado. No meio do mato, Juscelino não tinha como saber se Roberto tinha feito o gol que daria o título ao Vasco.

— Tudo bem, doutor. Eu vou pegar o carro pra saber o resultado — anunciou o taxista, com o ex-governador ainda trancado no banheiro. — Mas dessa vez não vou voltar.

Saiu ventando sem olhar para trás e ainda ouviu ao longe, meio abafado, um "deixa de ser criança, Juscelino!".

O táxi ficava estacionado a cerca de 500 metros da chácara, como despiste. Lacerda tinha certeza de que o seu fiel ajudante iria até lá, ouviria o resultado no rádio do carro e voltaria. Mas isso não aconteceu. Resolveu ligar de novo o rádio e confirmou que o arquirrival tinha sido campeão. Pelo menos o humor de Juscelino ficaria bom, ele esqueceria sua malcriação e voltaria atrás.

Mas enquanto acelerava para o Centro de Petrópolis, o taxista firmava sua decisão de abandonar de vez aquela roda-viva insana com o político clandestino. Não ouvir ao vivo o gol histórico de Roberto Dinamite tinha sido revoltante, mas agora lhe parecia libertador. Era o lance que faltava para colocar Lacerda na marca do pênalti e chutá-lo do seu caminho.

Chegando à área urbana da cidade serrana, ele viu uma aglomeração bastante animada em torno de um bar. Deviam estar comemorando a conquista vascaína — e ele já decidiu que tomaria todas as cervejas que o seu bolso permitisse, celebrando também a libertação do trem-fantasma dos últimos quatro meses.

Estacionou e notou algo estranho: não estava vendo ninguém de camisa do Vasco. Para aumentar o estranhamento, cruzou com uma figura exótica — um sujeito topetudo, meio desengonçado, vestido com um macacão prateado e falando uma língua esquisita parecida com inglês. Mal passou por ele, uma morena bonita, com colar de havaiana e pouca roupa para uma noite de início de primavera na serra o abordou sorridente:

— Oi! Você é candidato?

Confuso, Juscelino disse prontamente que não, que não tinha nada a ver com política. Mas o sorriso da morena permaneceu:

— Boa piada. Olha, a apresentação começa em meia hora. Quer maquiagem? Eu acho que não precisa.

Com mais dois minutos de diálogo surrealista, ele entendeu onde tinha ido parar: a morte de Elvis Presley pouco mais de um mês antes deflagrara uma onda de concursos de imitadores do lendário cantor, inclusive com cobertura televisiva mundo afora — e aquela birosca petropolitana tinha entrado na dança. Com seu 1,90m de altura, rosto largo, lábios grossos e cabelos pretos penteados para trás, Juscelino Kubitschek era candidato natural a Elvis Presley.

O taxista desfez o mal-entendido, mas não se desfez da morena "havaiana". Antes de botar a mão no bolso, seu copo já estava cheio. Espirituosa, ela disse que se ele não aceitava de jeito nenhum concorrer, estava convidado para participar como jurado.

No embalo da cerveja, já achando graça em tudo, ele explicou que conhecia pouco de rock'n'roll para ser juiz do concurso. Mas a anfitriã terminou de fisgá-lo:

— Você é o melhor Elvis. Então ninguém vai julgar melhor que você.

A havaiana de Petrópolis era mineira de Juiz de Fora. Carolina. Juscelino comentou que sua mãe também era mineira, de Diamantina. Carolina respondeu que, perto de Diamantina, Juiz de Fora era Nova York. Ele não gostou do desprezo dela. Ela beijou-o na boca.

Vendo a surpresa dele, completou: em Nova York é assim. Rápido.

O choque fez Juscelino esquecer Roberto Dinamite, Elvis Presley & Cia e pensar na sua mulher e em seus filhos pequenos. Estava ali extravasando a tensão da "Operação Lacerda", curtindo sua decisão de abandonar aquela loucura e se permitindo um raro momento sem pensar no dia de amanhã. No caso dele, o dia de amanhã — e todos os outros, nos últimos meses — significava um equilibrismo entre Duque de Caxias e Petrópolis, entre a sua vida familiar e a missão de assessorar um foragido.

Levava e trazia a esposa de Lacerda do esconderijo, ajudava na comunicação dele com os filhos recebendo e entregando bilhetes e cartas, mantinha a "toca" abastecida de comida, jornais e revistas. A versão oficial para sua família era de que tinha passado a atender com exclusividade um cliente rico em Petrópolis, o que não deixava de ser verdade. E como a sua renda tinha triplicado, sua mulher e seu pai não questionavam o novo trabalho. Só sua mãe, dona Diamantina, não achava que estava tudo bem.

— Juscelino, gente boa que anda com gente ruim é pior que gente ruim — dizia ela, do nada.

Nessas horas, o taxista chegava a achar que sua mãe tinha descoberto a "missão", mas logo concluía que isso era impossível. Se dona Diamantina soubesse que o filho andava se encontrando com Carlos Lacerda, haveria um terremoto em Caxias. Mas não havia dúvidas de que o sexto sentido dela estava em modo cão farejador.

Na terceira vez que ouviu o alerta enigmático, num almoço dominical com toda a família à mesa, ele tentou descontrair:

— Espero que esse "gente boa" aí que a senhora fala seja eu...

Dona Diamantina não deixou a gracinha um segundo no ar:

— Te criei pra ser gente boa. O que você vai fazer com isso eu não sei.

O alerta materno estalou na cabeça de Juscelino logo após o estalo do beijo de Carolina — com uma injeção instantânea de consciência e culpa: é claro que ele estava perdido, boiando ali entre uma maloca e uma maluca; é claro que estava no caminho "certo" para ficar pior que gente ruim; é claro que a única coisa a fazer era se mandar daquela cilada e ir comemorar o campeonato do Vasco com a família em Caxias, onde certamente não esbarraria com nenhum Elvis de várzea.

Foi nessa hora que Carolina contou, sem ser perguntada, estar de passagem em Petrópolis. Tinha deixado Juiz de Fora e se fixado no Rio porque sempre quis morar perto do mar:

— Não tanto pra mergulhar. Gosto de olhar o mar. Quando cheguei de ônibus pelo Aterro do Flamengo fiquei maravilhada. Aquele maluco do Lacerda sabia o que fazia.

A súbita referência ao ex-governador abalroou Juscelino, arrancando-o das suas reflexões. Jamais esperava ouvir algo assim naquela birosca circense. Carolina ia passando a outro assunto, já que estava falando sozinha mesmo, mas o taxista ressuscitou:

— Maluco? Por que maluco?

— Ué, não era maluco, o Lacerda? Bom, sei lá. Mas pra fazer uma obra-prima como o Aterro do Flamengo tem que ser pelo menos meio maluco, não acha? Morreu censurado, coitado.

Era só o que faltava. A havaiana de Juiz de Fora curtia Carlos Lacerda — aquele que dona Diamantina deplorava e a quem ele, Juscelino, tinha acabado de tomar coragem de abandonar, para se livrar do mau caminho.

Carolina já ia mudando de assunto de novo, mas agora era o "melhor Elvis" quem puxava a conversa de volta para o ex-governador da Guanabara, movido por uma curiosidade incontrolável sobre o que mais ela achava dele.

— Achei que você tinha dito que não gostava de política — carimbou a interlocutora atenta, deixando-o sem graça.

Mas ela própria nunca ficava sem graça, nem sem fala, e foi em frente:

— Também não sou ligada em política. Minha avó ouvia o Lacerda no rádio e às vezes eu ficava com ela escutando. Meio dramático, ele, né? Mas gosto de homem com voz de homem. Por isso sou fã do Elvis.

Pelo rumo da prosa, Juscelino entendeu que não chegaria a ouvir nada muito relevante sobre o seu cliente clandestino. Talvez pela quantidade de cervejas ingerida, porém, sentira as menções de Carolina a Lacerda como se ela estivesse falando de um amigo seu. E surgiu uma vontade irracional de contar a ela que ele estava vivo, e muito perto dali.

Na salada de sentimentos, o ímpeto de ir embora se dissipou. Fez seu papel de jurado copiando os votos de Carolina — olhando mais para ela que para os candidatos a Elvis. Terminado o concurso, Carolina colocou nele seu colar de havaiana, ergueu mais um brinde de cachaça e puxou-o para dançar ao som de "Love me tender". Seus rostos se aproximaram e ele não conteve o impulso:

— Quer conhecer o Lacerda?

JORNAL DO BRASIL
Rio de Janeiro — Sábado, 6 de abril de 1968
Ano LXXVII — N.º 310

URSS apóia gestões entre EUA e Hanói

(Página 10)

Govêrno proíbe "frente" e ameaça cassados

O Líder do MDB na Câmara, Deputado Mário Covas, está convocando os parlamentares oposicionistas para estudarem em Brasília, segunda e têrça-feira, a Portaria do Ministro da Justiça que proíbe qualquer atividade política da **frente ampla** — manifestações, reuniões, comícios, desfiles, passeatas — em todo o território nacional, e ameaça prender políticos cassados.

O Sr. Carlos Lacerda, que seguiu ontem para seu sítio em Petrópolis, às 17 horas, sem tomar conhecimento da Portaria, deverá retornar esta tarde ao Rio, a fim de, reunido a seus companheiros de movimento, tomar atitude em face da proibição. A Portaria, divulgada ontem à noite pela **Voz do Brasil**, circulará hoje, no **Diário Oficial**.

Além de proibir a **frente ampla**, numa decisão que surpreendeu a classe política — inclusive as lideranças do Govêrno no Congresso — a Portaria do Sr. Gama e Silva, baseada na legislação revolucionária sôbre os políticos cassados, determina à Polícia que prenda em flagrante quem, estando banido politicamente, faça pronunciamentos sôbre a **frente** ou desenvolva atividade política.

Também manda apreender jornais, revistas e quaisquer outras publicações que divulgarem atividades da **frente ampla** ou pronunciamentos de políticos cassados. Contra os políticos e os órgãos de divulgação que infringirem tais normas haverá instauração imediata de inquéritos policiais.

Parlamentares oposicionistas admitiam ontem à noite que a Portaria poderá resultar frustrada no seu principal objetivo, mediante o ingresso do Sr. Carlos Lacerda no MDB e a transformação dêsse Partido numa agremiação efetivamente fundada em bases populares, com a absorção do capital político até aqui creditado à **frente ampla**.

A atitude do Govêrno contra o movimento liderado pelos Srs. Carlos Lacerda, Juscelino Kubitschek e João Goulart despertou, nos meios políticos, a convicção de que se iniciou uma nova fase de endurecimento político.

O Senador Josafá Marinho e os Deputados Martins Rodrigues, Secretário-Geral do MDB, e Mário Covas, afirmaram que a Portaria do Sr. Gama e Silva constitui "ato de violência que fere a própria legalidade instituída pela Revolução e inicia a escalada para a ditadura franca".

Em Campos, num clima de apreensão generalizada aguardou-se, ontem à tarde, em vão, a chegada do Sr. Carlos Lacerda, para receber na Câmara Municipal o título de Cidadão. Quarenta homens do DOPS, diversos policiais e o II Batalhão de Caçadores formavam o esquema de segurança, com ordem para prender o líder da **frente ampla** caso êste falasse aos trabalhadores das usinas açucareiras. (Página 3 e **Coisas da Política**, página 6)

A INFORMAÇÃO OFICIAL

D. Jaime soube por D. José de Castro Pinto o que houve na véspera

Estudantes voltam às aulas

Restabelecida a calma no País, os estudantes decidiram voltar às aulas, dispostos a capitalizar "a vitória nas ruas contra a ditadura" na luta por objetivos rigorosamente estudantis, que se fará com o afastamento das radicalizações e a procura de união com outros setores nacionais.

As lideranças estudantis entendem que é chegado o momento de "consolidar o sucesso" das suas manifestações, "ensejado pelo próprio Govêrno e que deu início ao processo, irrevogável, da derrubada da ditadura, meta final de todo o povo brasileiro".

Reunidos em menos de 24 horas, 64 religiosos denunciaram que "o aparato militar estêve na iminência de provocar um massacre de conseqüências imprevisíveis contra jovens que se conduziam exemplarmente", enquanto um documento oficial da Cúria acusava o aparato militar de, "mediante provocações gratuitas, ter contribuído para perturbar a ordem, inclusive com agressões".

A Polícia mantém o cêrco às faculdades em Belo Horizonte, onde — como em Brasília — as aulas só se reiniciarão depois da Semana Santa. A situação nos Estados é a seguinte: Amazonas e Estado do Rio — os estudantes assistiram à missa e saíram da igreja sem incidentes; São Paulo e Paraíba — passeatas estudantis com alguns excessos; Pernambuco — passeata marcada para hoje, a fim de forçar a Polícia a libertar 12 presos.

Começaram a ser libertadas ontem à noite 233 das 300 ou 400 pessoas prêsas anteontem pelo DOPS e entregues ao Exército, que terá as já fichadas. O IPM instaurado para apurar os incidentes que envolvem estudantes será dirigido pelo Cel. Almeida Morais.

O Governador Negrão de Lima pretende anunciar na próxima semana "importantes decisões" relacionadas com a crise, mas só depois de ouvir o Govêrno federal. A ação da Polícia foi violentamente condenada na Assembléia Legislativa e no Congresso.

No Rio Grande do Sul, o Presidente Costa e Silva denunciou que "os agitadores, sem condições de converter o operariado, procuram agora impressionar a mocidade, visando perturbar o Govêrno", enquanto o Ministério da Fazenda estimava em NCr$ 160 milhões os prejuízos causados pela paralisação total ou parcial das atividades econômicas nos três dias úteis de crise.

Os círculos interessados nas medidas de exceção pretendem promover farto noticiário, com base em informes policiais, para ampliar as dimensões e, em seguida, apregar a necessidade de armar-se o Govêrno para defender o País de novas ameaças subversivas. (Noticiário nas páginas 4, 5, 7 e 17; *Coluna do Castello*, pág. 4; e Editoriais, pág. 6)

Assassinato de Luther King provoca novas lutas raciais em todos os Estados Unidos

Enquanto o corpo de Martin Luther King Jr., num avião fretado pelo Senador Robert Kennedy, chegava ao aeroporto de sua cidade natal, Atlanta (Geórgia), as conseqüências de sua morte propagavam-se por todos os Estados Unidos, multiplicando-se os distúrbios raciais em Washington, Nova Iorque, Boston, Flórida e vários outros pontos isolados.

Após uma reunião com os principais líderes da comunidade negra, o Presidente Johnson emitiu nota, dizendo que "foi tirada a vida de um homem que simbolizava a liberdade e a fé dos Estados Unidos". Johnson acredita, porém, "que o ideal de King não morreu com êle" e pedirá, na segunda-feira, novas medidas ao Congresso para evitar a eclosão da guerra racial.

Ralph Albernathy, um dos mais chegados colaboradores de Luther King e que o substituiu na direção da Conferência Sulina de Liderança Cristã, prometeu realizar as marchas programadas pelo líder, em Memphis e em Washington. Outros movimentos negros hipotecaram apoio à idéia.

O líder do Poder Negro, Stokely Carmichael, está convocando os negros à vingança. Os distúrbios raciais registrados em várias cidades provocaram a mobilização de fortes contingentes policiais. Os ataques são iniciados por pequenos grupos e as cenas de violência, incêndios e saques fazem parte de um ambiente de grande tensão. O Prefeito Walter Washington, de Washington DC, decretou estado de emergência das 17h30m às 6h30m, proibindo a qualquer pessoa o trânsito pelas ruas. Já se registraram 3 mortos e 350 feridos foram hospitalizados.

Grupos de negros do bairro de Harlem irromperam ontem à tarde no centro comercial de Manhattan e, à noite, ainda percorriam a Broadway e a Sétima Avenida, quebrando vitrinas e saqueando armazéns. Dentro do bairro de Harlem, grupos de jovens enfrentaram a Polícia, atirando pedras e garrafas.

Os primeiros detalhes do crime revelam que o assassino se postou no primeiro andar de um albergue de mendigos, a 60 metros do hotel de King, e o alvejou com um fuzil Remington dotado de teleobjetiva. O assassinato foi meticulosamente planejado, mas ignora-se ainda o autor.

A morte de Luther King comove o mundo. U Thant a recebeu com "um profundo impacto" e o Papa Paulo VI faz votos para que esta morte não se converta em drama maior. Moscou vinculou o assassinato do líder negro aos protestos contra a guerra no Vietname. De tôdas as capitais do mundo, os votos de pesar continuavam a chegar.

No Brasil, a Mesa do Senado expressou seu pesar pelo assassinato do líder anti-racista e o Ministro das Relações Exteriores, Sr. Magalhães Pinto, transmitiu em nome do Govêrno a consternação pela morte. (Páginas 2, 8, 9 e Editorial, página 6)

POR UM LÍDER MORTO

Radiofoto UPI-JB

O bairro negro de Harlem conflagrou-se com a morte de Luther King

UMA ALEGRIA NO GOVÊRNO

Radiofoto UPI-JB

O Presidente encerrou sua visita ao Sul, dançando com Dona Iolanda

ACHADOS E PERDIDOS

CARTÃO DE INSCRIÇÃO — Extraviou-se o cartão de inscrição número 259 844 01 do Cadastro Fiscal de Tânia S. A. — Rua Escobar, 40.

EMPREGOS

SERVIÇOS DOMÉSTICOS

AMAS — ARRUMADEIRAS — COPEIRAS

BABÁ — Precisa-se, com referências, para 2 crianças, Ord. NCr$ 100,00. Tratar Rua Antenor Rangel, 140. Gávea. Tel. 47-4391.

da Auditoria pelo STM

Regis Debray

O julgamento de Regis Debray, inicialmente previsto para o dia 24 de maio, será finalmente iniciado hoje em Camiri, na Bolívia. O Exército distribuiu credenciais para poucos jornalistas, os quais poderão assistir às sessões do tribunal militar.

Pág. 3

Restrições a estrangeiros diminuirão

...mento tem

OPERAÇÃO BRASÍLIA

O táxi freou bruscamente na chegada ao Setor Hoteleiro Norte, em Brasília. A ordem do passageiro para que dessem meia-volta sobressaltou o motorista. Não era uma meia-volta qualquer: quando Juscelino disse a Lacerda que era melhor retornarem logo ao Rio de Janeiro, porque a viagem relâmpago a Brasília já estava ficando perigosa, ouviu a resposta serena e bombástica vinda do banco de trás:

— Juscelino, eu desisti de voltar pro Rio.

O motorista preferiu parar o carro e virar-se para falar encarando o passageiro:

— Doutor, o responsável pela sua segurança sou eu. Então o senhor me desculpe, mas essa decisão é minha: nós vamos embora de Brasília agora.

— Vai você. Eu vou ficar.

Em geral, a teimosia de Lacerda prevalecia, não tanto por autoridade, mas porque Juscelino ficava sem paciência para o duelo verbal. Dessa vez, no entanto, foi diferente. O taxista teve certeza de que seu passageiro estava tendo um impulso movido pela adrenalina da ida ao Congresso Nacional, de onde tinham fugido espetacularmente minutos antes.

Claro que a resposta quase malcriada "vai você" devia ser da boca para fora. A dupla tinha viajado mais de mil quilômetros pelo chão para não ter que passar por aeroporto, identificação de passageiro etc. O pernoite em Belo Horizonte, em segurança na casa de um amigo da família mineira do taxista

— discreto o suficiente para não querer detalhes da missão — garantia a viabilidade física da cruzada. E se Juscelino voltasse sozinho, isso significaria deixar Lacerda preso em Brasília.

O gostinho de voltar a interferir na política nacional devia estar cegando o ex-governador para a gravidade da sua situação.

— Uma coisa é ser clandestino nos fundos de uma chácara em Petrópolis. Outra é ser clandestino na capital do país. Em dois tempos chegam no senhor.

— Eu quero que cheguem. Juscelino, vou sair da clandestinidade.

* * *

Quando veio a Anistia, em 1979, Carlos Lacerda começou a preparar a sua reaparição. Tudo indicava que a abertura política iniciada "lenta e gradualmente" no governo Geisel se firmaria na administração de João Figueiredo de forma "ampla, geral e irrestrita" — como era descrita a devolução dos direitos aos anistiados. Do seu esconderijo, porém, Lacerda mantinha seu hábito de desconfiar dos lapsos que ninguém notava: "Se a anistia é geral, é mais do que ampla; e se é irrestrita, obviamente é geral. Torturar o idioma é um péssimo começo para a democracia".

A quem o acusava de estar exagerando, ele rebatia: "A ignorância é um componente essencial da demagogia. Os impostores se revelam quando tentam ser inteligentes. Boas intenções embelezadas com palavrório inútil em geral não são tão boas".

O ex-governador passou a desconfiar mais ainda do ambiente seguro para a sua reaparição quando estourou a bomba do Riocentro, em 1981. Ele estava em plena observação dos movimentos dos anistiados — tentando confirmar se havia mesmo liberdade para os que retornavam do exílio, como Leonel Brizola e Miguel Arraes — quando a explosão num festival de música comemorativo do Primeiro de Maio colocou-o novamente em alerta total.

As investigações sobre o suposto atentado demoravam a esclarecer quem queria o que com aquela bomba — que estava num carro com dois militares — e naturalmente a possibilidade de recaída autoritária estava de novo no radar. Lacerda decidiu então que só sairia da clandestinidade quando o país voltasse a ter eleições diretas para presidente.

Antes disso, porém, com as articulações que levaram à eleição indireta de Tancredo Neves em janeiro de 1985, pondo fim ao regime militar, ele se sentiu seguro para reaparecer. Estava se preparando para deixar a toca na chácara quando estourou a outra bomba, muito mais devastadora que a do Riocentro: numa súbita inversão do quadro de melhora clínica do presidente eleito, internado para tratar uma diverticulite, Tancredo estava morto.

Foi o amigo norte-americano Donald Kalmar Jr., que estava no Brasil ajudando Lacerda na mudança, quem deu a notícia, ao seu jeito:

— Carlos! *My God!* Mataram o Tancredo!

Lacerda teve uma queda de pressão e precisou ser amparado por Juscelino, que estava levando a mala de roupas do ex-governador para o táxi. Depois de lhe dar um pouco de sal e ver a cor voltar ao seu rosto, o taxista ligou o rádio. Acompanhou por alguns minutos o noticiário sobre a morte de Tancredo e decidiu interpelar o empresário:

— É uma tragédia, doutor Donald. Mas não escutei ninguém falando de assassinato. Com todo o respeito, o senhor precisa ter cuidado com os seus alarmes. Eles não ajudam o estado emocional do doutor Lacerda.

Donald Kalmar Jr. retrucou em voz baixa:

— Juscelino, tudo que você tem de leal, tem de inocente. Tancredo estava com a saúde perfeita. Tinha acabado de liderar um grande acordo de pacificação do país. Diverticulite não mata ninguém, a não ser em caso de extrema negligência. Não dá pra imaginar um hospital negligente com um presidente eleito.

Dessa vez Lacerda ficou calado. Mas Juscelino insistiu que bactérias agressivas podem, sim, se espalhar com certa facilidade no organismo de um homem de 75 anos a partir de uma diverticulite. Donald continuou falando baixo:

— Tancredo tinha 75 anos e vigor de 40. Fez uma longa campanha falando ao país inteiro sem problemas. Não era um organismo vulnerável. Assim como Jango também não era. JK nem se fala. E o Carlos fazendo exames de rotina numa clínica poderia nunca mais ter saído de lá se não tivesse suspeitado de uma enfermeira falando em código...

— Não sei se ouvi, Donald — interveio Lacerda, repetindo a ressalva de sempre. — Posso ter sonhado.

O amigo passou a falar um pouco mais alto:

— Ótimo. Se vocês não querem ligar os pontos, que qualquer criança pode ligar, vamos em frente. Foi uma enorme coincidência a morte súbita e quase simultânea dos líderes da Frente Ampla contra a ditadura quando estavam prestes a recuperar seus direitos políticos. Foi também uma incrível fatalidade a morte do primeiro civil que se preparava para assumir a Presidência. Vamos voltar à vida normal, dormindo com um barulho desses como se estivéssemos nas nuvens.

Ninguém disse mais nada. Juscelino suspirou, abriu de novo a mala que tinha acabado de fechar e começou a recolocar as roupas de Lacerda no armário. A saída do esconderijo estava abortada.

* * *

Pouco mais de três anos depois da morte de Tancredo Neves, e cerca de um ano antes do momento programado por Lacerda para deixar a clandestinidade — a eleição direta para presidente —, Juscelino agora ouvia dentro do seu táxi, no meio de mais uma fuga, dessa vez em plena capital da República, que o ex-governador tinha decidido subitamente se reapresentar ao país.

O taxista silenciou enquanto absorvia o impacto. Não era preciso ser especialista para calcular o tamanho do abacaxi que se desenhava à sua frente. Um político de primeira grandeza perseguido pelo regime militar some por mais de uma década após o seu falecimento "oficial" e reaparece afrontando os novos donos do poder, que de imediato colocam a polícia atrás dele. Conseguindo ou não provar que não era um impostor, aquilo não tinha como terminar bem.

Pela primeira vez, Lacerda recebeu de Juscelino um olhar de pena.

— Vão acabar com o senhor. De um jeito ou de outro.

— Não vão, não. Eu tenho uma ideia.

Já de volta ao hotel, antes de saber qual era a ideia, Juscelino ficou sabendo que o executor seria ele próprio. A primeira incumbência era sair para comprar um gravador, uma fita cassete e um exemplar do *Jornal do Brasil*. Ainda sem saber qual era o plano, viu Lacerda começar a gravar a sua própria leitura de um trecho do jornal.

Concluiu a gravação recitando alguns dados contratuais relacionados à sua editora, Nova Fronteira, numa salada de assuntos que levou o taxista a temer, pela primeira vez, que seu cliente estivesse ficando mentalmente perturbado.

Só com a fita retirada do gravador e colocada nas mãos de Juscelino veio a explicação da ideia. A gravação deveria ser levada à redação do *Jornal do Brasil* e entregue ao colunista Carlos Castello Branco, o Castelinho. Na fita, Lacerda lia um trecho da Coluna do Castello daquele dia, para mostrar ao jornalista que estava vivo e que o registro não era antigo.

Para provar que a voz era dele mesmo, e não de um imitador, citava no final a data do contrato de publicação do livro *1968, o ano que não terminou*, que estava sendo lançado pela Nova Fronteira — informação que Castelinho poderia checar com o autor do livro, Zuenir Ventura, seu colega de JB. Ao final da gravação, Lacerda dizia ao jornalista político que desejava dar uma entrevista a ele contando toda a verdade, inclusive sobre seu falso funeral, para expor ao país as razões da sua clandestinidade.

"Castelinho, a sua coluna vai ser o meu seguro de vida", escreveu o ex-governador num bilhete, dobrado e colocado dentro da caixinha de plástico da fita. Entre confuso e excitado, Juscelino voltou a achar que Lacerda sabia o que estava fazendo. Sem se despedir, retornou ao táxi e tocou para a redação do JB.

* * *

Falante, radiante e desconcertante, Carolina era quem estava desconcertada agora. Seu "melhor Elvis" a convidava, ao som de "Love me tender", a conhecer Carlos Lacerda, morto quatro meses antes. Vendo-o dançar completamente fora do ritmo da música, ela chegou à conclusão inevitável:

tinha dado bebida demais ao gigante. Mas em se tratando da havaiana de Juiz de Fora com PhD imaginário em Nova York, constrangimento não colava nem com gomalina de topete falso.

Foram alguns segundos para processar o convite surrealista e responder com a convicção que ela não tinha:

— Quero.

Juscelino puxou-a pela mão em direção ao seu táxi. Ela achou que ele lhe mostraria alguma fotografia sua com o ex-governador, ou talvez um livro. Mas no que entraram no carro, ele meteu a chave na ignição e acelerou. Carolina achou o movimento um tanto arrojado para aquele Elvis tímido de origens diamantinas:

— Pra onde você tá me levando?

— Ué, pra conhecer o Lacerda.

Ela riu:

— Gato, confesso que é a primeira cantada com tema político que eu recebo. Tá valendo! Só perguntei pra onde a gente vai porque se for longe acho melhor pegar minha bolsa.

Um flash de lucidez atingiu o taxista ao ouvir falar em bolsa. Se parasse numa barreira policial com aquela mulher sem documentos poderia estar arranjando um problemão. Isso se ela não fosse uma golpista capaz de acusá-lo de sequestro.

A sequência de alertas foi abrindo espaço na mente embriagada até chegar ao choque elétrico: desarmado pela referência simpática feita por Carolina a Carlos Lacerda e anestesiado pela bebida, ele não tinha se dado conta de que estava pondo em risco a vida de um clandestino. Concordou que era melhor voltarem, decidido a esperá-la sair do carro para buscar a bolsa e se mandar dali.

Mas o choque de consciência foi trazendo um mal-estar com queda de pressão, a cabeça começou a girar forte e ele desmaiou em cima do volante.

O táxi saiu da pista e ia começar a descer um barranco quando Carolina conseguiu empurrar o corpanzil de Juscelino e dar uma guinada de volta à pista. Puxou então o freio de mão com todas as forças e o carro foi parando lentamente.

Juscelino permanecia desacordado, sem responder a nenhuma tentativa de reanimação. Ela pensou em sair a pé para buscar ajuda, mas era madrugada e já tinham se afastado um pouco do Centro de Petrópolis. Sem saber o que fazer, pegou um maço de cigarros dele sobre o console e acendeu um. Carolina dizia que raciocinava melhor quando estava fumando.

Depois de alguns tragos, notou um papel rabiscado enfiado no invólucro de plástico do maço. Apanhou-o e viu que era a anotação de um endereço, sob as iniciais "CL". Mais um trago e o nome de Carlos Lacerda lhe veio à mente. Não sabia o que significava aquilo. Só sabia que a sua curiosidade tinha batido no teto.

O taxista começou a acordar, mas seu estado era lastimável. O máximo que ela conseguiu foi fazê-lo passar para o banco do carona e hibernar de novo. Carolina ligou o carro e dirigiu até o endereço escrito no maço de cigarro. No local havia uma pequena mercearia, naturalmente fechada àquela hora. Nas proximidades, só um ponto de ônibus parcialmente coberto de mato e um outdoor bastante descascado com o anúncio de uma churrascaria de beira de estrada.

Não dava para ficar parada ali. E o coração disparou quando apareceu no retrovisor um homem de capuz se aproximando. Ela engatou a primeira e ouviu um grito:

— Juscelino!

Começou a acelerar, e o homem continuou a gritar:

— Espera aí! Vamos fazer as pazes! O Vasco mereceu!

Ela freou. Não tanto pela peculiar mensagem de paz, mas porque achou a voz familiar. O sujeito chegou ofegante onde o táxi estava e botou a cara na janela. Carolina deu um grito ao reconhecer Carlos Lacerda. E desmaiou.

Lacerda não entendeu nada. Tinha ficado em pânico com o sumiço de Juscelino e arriscara sair da toca, protegido pela escuridão e pelo capuz, para ver se o seu guardião estava pelas redondezas. Já temendo que ele tivesse mesmo ido embora de vez, viu a Brasília amarela passando pela rua e parando no ponto de sempre. Agora estava diante de uma bela morena desmaiada ao volante, com Juscelino desmaiado ao lado.

Deu a volta no carro, abriu a porta do carona e começou a sacudir o amigo. Ele foi voltando aos poucos do desmaio, até recuperar a consciência com o choque da visão de Lacerda de um lado e Carolina do outro. Agora estava suficientemente sóbrio para dimensionar o tamanho da loucura que tinha cometido, expondo seu cliente foragido a uma estranha.

— Meu Deus, o que foi que eu fiz. Me desculpe, doutor. Volta pra chácara, eu vou levar essa moça daqui e retorno.

— Nada disso — murmurou Carolina, grogue. — Eu vou ficar.

Enquanto os dois homens se entreolhavam perplexos, ela saltou do carro e comandou:

— Vamos sair logo desse frio. Onde é o esconderijo?

Em torno da lareira improvisada no casebre nos fundos da chácara, Lacerda, Juscelino e Carolina assimilavam a situação insólita de forma ainda mais insólita. Vendo o ex-governador pedir desculpas ao taxista pela molecagem ao interromper a transmissão da decisão entre Vasco e Flamengo, a havaiana de Juiz de Fora perguntou como os dois podiam estar brigando por causa de futebol mergulhados numa situação tão grave.

Foi a deixa para Juscelino colocar as coisas nos seus lugares:

— Obrigado pelo seu cuidado comigo. Você me embebedou, mas depois me salvou. Agora preciso que você esqueça tudo que viu, e sei que você vai fazer isso, porque admira o doutor Lacerda e não quer que aconteça o pior. Vou te levar pra casa e prometo um dia te buscar pra conversar com o governador, quando isso voltar a ser possível nesse país.

Carolina não respondeu a Juscelino e encarou Lacerda:

— Carlos, também sou Flamengo. Posso ficar?

— Seu argumento é bom — respondeu Lacerda de bate-pronto, antes que Juscelino pudesse manifestar sua irritação com a petulância dela. — Mas aqui não tem espaço. A não ser que você queira ocupar a casa principal da chácara, que está abandonada.

— Loucura! — reagiu Juscelino. — O senhor nem conhece ela!

— Pode ser. Mas não posso ficar muito tempo nesse terreno abandonado, acaba chamando atenção. Preciso que alguém ocupe pra fazer fachada. Te ofereci, você não quis. Tem outra ideia?

— Eu tenho — se antecipou Carolina. — Posso ocupar a chácara com o Elvis.

— Quem é Elvis? — perguntou Lacerda, desconfortável.

Juscelino falou de cabeça baixa, começando a se conformar com o surrealismo da situação:

— Sou eu.

* * *

O recepcionista da sucursal Brasília do *Jornal do Brasil* disse ao portador que poderia deixar o material com ele. Seria encaminhado ao colunista Carlos Castello Branco.

— Desculpe, senhor. O remetente determinou que eu entregasse em mãos ao jornalista.

— Infelizmente não vai ser possível. Só é permitida a entrada na redação com agendamento prévio. Pelo que entendi, não foi feito agendamento.

— Realmente. Mas o Castelinho conhece o remetente. É só pra entregar mesmo, entro num pé e saio no outro.

— O senhor não disse quem é o remetente.

— É... Mas o Castelinho conhece ele...

— Aí fica difícil, companheiro.

— É um material sigiloso. Uma gravação. Garanto que é do interesse do jornal.

Preocupado com a hipótese de estar barrando uma informação importante, o recepcionista disse que ia ver se alguém poderia acompanhar o visitante até a sala de Carlos Castello Branco e lhe disse para deixar um documento na recepção.

— Como é o seu nome?

— Juscelino.

— Juscelino de quê?

— Kubitschek.

O funcionário não conteve a risada. Um jornalista que ouvia a conversa da sua mesa riu junto e comentou:

— Brasília tá uma loucura. No mesmo dia aparece um Carlos Lacerda no Congresso e um Juscelino Kubitschek no JB. Aposto que até a noite surge um João Goulart no Palácio do Planalto. Será que o Sarney deixa entrar?

O taxista comprovou sua identidade e foi escoltado até a mesa de Castelinho. Em menos de cinco minutos estava de volta, mas quem o escoltava agora era o próprio Castelinho. Ante a perplexidade do recepcionista, os dois saíram da redação e caminharam juntos para o elevador.

O funcionário estranhou a situação e foi atrás, perguntando a Carlos Castello Branco se estava tudo bem. O jornalista não respondeu e entrou com Juscelino no elevador. O recepcionista voltou correndo ao seu posto e ligou aos gritos para o setor de segurança:

— Sequestro! O Castelinho está sendo sequestrado! Acaba de ser levado pelo elevador principal!

A segurança agiu rápido. Quando o elevador se abriu no térreo, um guarda em posição de combate já apontava uma arma para a cabeça de Juscelino e outro arrastava Castelinho para longe do "sequestrador" — que ficou estático e foi imobilizado com uma "gravata" por um terceiro segurança todo esticado, na ponta dos pés, para alcançar o pescoço do elemento.

— O que é isso?! O que está acontecendo aqui?! — gritou o jornalista.

— Calma, doutor Castello. Já neutralizamos o meliante. Está tudo bem.

— Tudo bem, uma ova! Soltem esse homem! Vocês estão agredindo uma fonte!

— Fonte? — reagiu aturdido o chefe dos seguranças, não familiarizado com a figura linguística da fonte de informação.

Apesar de ter metade da massa corpórea do guarda que imobilizava Juscelino, Castelinho arrancou-o de sua posição, desfazendo a "gravata" com a força física que não tinha e com a força moral que tinha de sobra.

Se dando conta finalmente de que se tratava de um equívoco, o responsável pela operação antissequestro passou a se desculpar com o jornalista:

— Recebemos a informação de que o senhor estava sendo conduzido por um visitante suspeito para fora do jornal. A rapidez com que o senhor passou a acompanhar silenciosamente o desconhecido configurou uma situação de alerta para os nossos procedimentos. Peço perdão. Não imaginamos que o senhor conhecia o visitante.

— Não conheço — respondeu Castelinho. — Pode destacar um segurança para nos acompanhar?

Sem entender absolutamente nada, o chefe da segurança do JB colocou um guarda no táxi de Juscelino — que ficou em pânico com a ideia de reencontrar Lacerda acompanhado de um homem armado. Na chegada ao hotel, porém, o jornalista determinou à escolta que não subisse até o quarto — a não ser que ele não reaparecesse em meia hora.

Lacerda ficou mais alvoroçado ao ver Castelinho que o contrário. Em seu estilo econômico e discreto, o colunista político disse ter testemunhado o bate-boca na Câmara com Ulysses Guimarães. Ao contrário dos colegas, ele tinha achado que o desafiante era Lacerda mesmo.

— Não foi um bate-boca, Castello. Levantei algumas questões sobre a promulgação da Constituição...

Foi cortado pelo jornalista:

— O senhor não me chamou aqui pra se fazer de bom moço, certo, governador?

— Imagina. Não foi isso que...

— Ótimo. Então vamos ao ponto.

— Que ponto?

— O senhor foi ameaçado de morte?

— Não exatamente. Eu...

— O senhor caiu na clandestinidade em 1977 e reaparece em 1988, a um ano das eleições diretas, confrontando o principal presidenciável. Com que propósito?

— Não estou pensando em eleições, Castello.

— Ok. Posso escrever que o senhor não é candidato a presidente?

— Claro que pode.

— Posso escrever que o senhor não será candidato a presidente em nenhuma hipótese?

— Você é membro da Academia Brasileira de Letras, Castello. Um imortal escreve o que quiser.

— Somos todos mortais, governador. Imortal é o que a gente escreve. Não posso deixar para a eternidade uma afirmação categórica que será desmentida pelos fatos. O senhor garante que não será candidato a presidente em 1989?

Lacerda olhou para a parede, depois para o teto, depois para o chão, depois para Castello:

— Não.

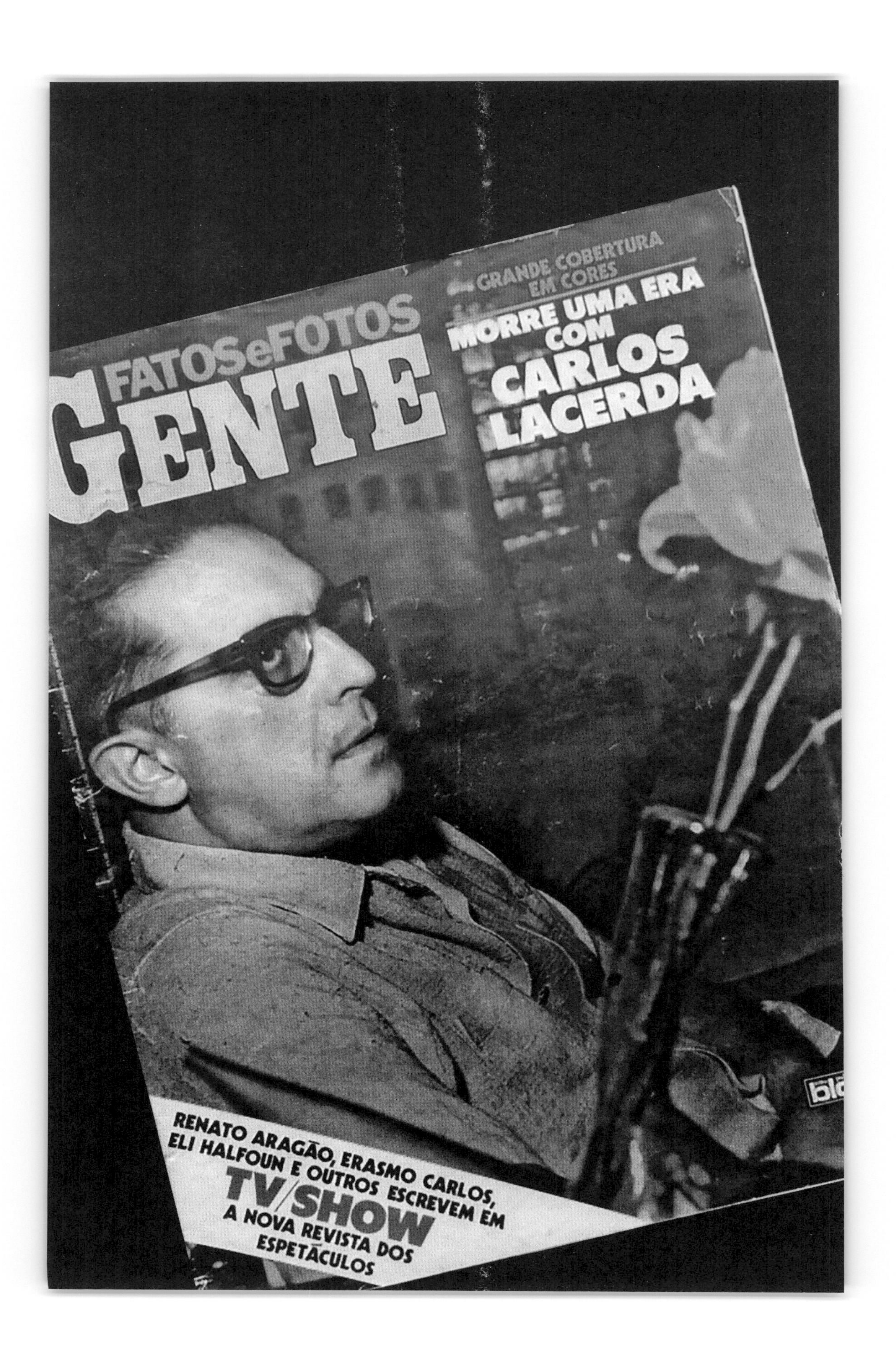
FATOS e FOTOS
GENTE
GRANDE COBERTURA EM CORES
MORRE UMA ERA COM CARLOS LACERDA
RENATO ARAGÃO, ERASMO CARLOS, ELI HALFOUN E OUTROS ESCREVEM EM
TV/SHOW
A NOVA REVISTA DOS ESPETÁCULOS

PALMAS PARA O CLANDESTINO

"LACERDA ESTÁ VIVO"

A manchete do *Jornal do Brasil* ocupando a metade superior da primeira página em letras garrafais sacudiu a República. O relato bombástico na Coluna do Castello sobre o encontro do colunista com o político dado como morto desde 1977 atropelou o noticiário sobre a promulgação da Constituição de 1988.

"Getúlio Vargas mudou para sempre a história do Brasil escolhendo a morte. Seu maior adversário, Carlos Lacerda, dá o troco desmentindo a morte", escreveu Castelinho na abertura da coluna. E disparou: "Não sabemos se a manobra surpreendente do ex-governador da Guanabara mudará o curso da história. Mas é certo que a primeira eleição direta para presidente em quase trinta anos está mais indefinida do que nunca. Lacerda diz que não será candidato. Ou seja, é candidatíssimo".

Além da Coluna do Castello, o JB decidiu reservar, para a edição do dia seguinte, duas páginas inteiras para a entrevista, ao saber que Castelinho tinha quase três horas gravadas com Lacerda. Em editorial, o jornal tratava o furo de reportagem com cuidado:

"A reaparição misteriosa de Carlos Lacerda, que oficialmente faleceu no dia 21 de maio de 1977 — há quase onze anos e meio, portanto — não poderia ser ignorada pelo JORNAL DO BRASIL, a partir do momento em que o fato foi trazido pelo consagrado colunista Carlos Castello Branco. Ressalvamos, ainda assim, que a convicção de Castelinho quanto a ser verdadeiramente Carlos Lacerda o homem que o procurou não elimina a necessidade da devida investigação por parte das autoridades competentes sobre autenticidade e, principalmente, sobre as circunstâncias do suposto desaparecimento do ex-governador e ex-deputado."

No meio político, as ressalvas do JB não foram suficientes para muita gente. Figurões do governo Sarney telefonaram para a direção do jornal considerando uma precipitação, às raias da leviandade, tamanho destaque dado ao que muitos estavam classificando como um "impostor".

— Como um dos principais jornais do país dá esse prestígio todo a um franco-atirador que afrontou o doutor Ulysses em seguida à promulgação da nova Constituição?! — vociferou um cacique do PMDB em telefonema para a chefia da redação.

As labaredas não paravam de subir. Quando a pressão chegou ao ponto em que anunciantes graúdos começaram a telefonar também, intrigados com a notícia insólita sobre a "ressurreição" de Carlos Lacerda, Castelinho foi chamado ao Rio de Janeiro pela direção do jornal. O plano de publicar a íntegra da entrevista em duas páginas no dia seguinte tinha subido no telhado.

Um editorialista foi escalado para avisar ao colunista de política que ele estava sendo esperado no dia seguinte na sede do JB. A informação era de que a situação estava saindo do controle e que o "furo" de Carlos Castello Branco tinha unido governo e oposição no repúdio ao jornal. Um emissário de Leonel Brizola chegou a dizer que não fazia diferença se a entrevista era com um sósia ou não: "Vivo ou morto, Lacerda sempre foi e sempre será um impostor".

Castelinho não se impressionou com o alerta. Deixou o porta-voz da direção do jornal falando sozinho.

E ele continuou falando. Disse que a direção estava avaliando até a possibilidade de uma retratação na Coluna do Castello, dada a gravidade da situação. Não eram só os correligionários de Ulysses e Brizola que estavam pressionando o JB. Também um empresário ligado a Paulo Maluf mandara um recado hostil após a publicação da coluna bombástica.

Castelinho enfim entrou na conversa — para encerrá-la:

— Sei como são esses garotos de recado. Mande a eles o meu: não vou ficar administrando ciúme de presidenciável. Se o jornal quiser desistir de publicar a íntegra da entrevista, fique à vontade. Mas da minha coluna quem sabe sou eu.

O editorialista respondeu que o jornal não via nas críticas dos emissários de Ulysses, Brizola e Maluf uma reação política à concorrência de Lacerda na disputa presidencial. A avaliação era de que o problema estava no contexto nebuloso da reaparição do ex-governador da Guanabara. Mesmo que ficasse comprovado não ser um impostor, ainda seria preciso explicar os onze anos de clandestinidade — e tudo isso trazia instabilidade ao país no momento decisivo da retomada democrática.

— A única instabilidade que estou vendo aí é a das candidaturas presidenciais de Ulysses Guimarães, Leonel Brizola e Paulo Maluf — rebateu Castelinho. — Disse e repito: o nome disso é ciúme. Podem economizar a passagem, não vou ao Rio de Janeiro.

A direção do JB acabou concluindo que pior do que a pressão dos presidenciáveis seria trombar com o seu colunista imortal. No dia seguinte, o jornal publicava as duas páginas inteiras de entrevista com Carlos Lacerda, sob o título: "Eu forjei o meu funeral".

A edição do jornal se esgotou em tempo recorde e se formou um mercado paralelo de exemplares "usados". Na Cinelândia, o JB de segunda mão chegou a ser vendido pelo triplo do preço original.

Carlos Castello Branco iniciava a entrevista sem rodeios:

— Onde o senhor estava escondido?

— Na região serrana do Rio.

— Onde?

— Nos fundos de uma chácara abandonada.

— Onde?

— Em Petrópolis. Na região do Rocio.

Nas páginas do JB, a entrevista prosseguia normalmente. No hotel onde Lacerda estava hospedado em Brasília, esse foi o momento em que Castelinho interrompeu a gravação para um comentário fora do tema:

— Rocio? Que coincidência. Quando vim pra cá estavam falando lá na redação sobre um crime que tinha acabado de acontecer num rio atrás de uma chácara no Rocio.

Lacerda e Juscelino se entreolharam mudos. E entraram em choque com a pergunta seguinte do jornalista:

— O senhor conhece alguma Carolina?

* * *

— Quem é Carolina?

A pergunta feita por dona Diamantina pegou Juscelino de surpresa. Ela tinha encontrado em sua mochila de trabalho um colar de havaiana. Estava enfiado ali havia um mês, desde a noite maluca de 28 de setembro de 1977 — quando o taxista virou Elvis Presley —, e ele nunca notara que o colar tinha uma pequena etiqueta. Mas sua mãe notou. E leu o que estava escrito nela: “Carolina”.

Não disse ao filho que tinha achado o colar. Fez a pergunta do nada. E ele achou que dava para responder qualquer coisa.

— Carolina? Não sei, mãe. Não conheço nenhuma Carolina.

— Ok. E colar de havaiana? Você conhece algum?

Mais do que a referência inescapável ao objeto que o transformara em Elvis Presley no concurso bizarro em Petrópolis, era o olhar de fuzilamento de dona Diamantina que dava a Juscelino a certeza de estar sem saída. Na rigidez interiorana da mãe, sair do trilho era sair do trilho. Não importava o tipo de prevaricação. Nas montanhas da Mantiqueira, trem que perdia o trilho se espatifava lá embaixo do mesmo jeito — fosse defeito da máquina ou do maquinista.

A descoberta do colar era só a confirmação do laudo pericial. Ela estava estranhando o comportamento dele havia meses. E ele sabia disso, porque também estava estranhando seu próprio comportamento — desde o dia em que entrou no trem fantasma da fuga de Lacerda. Sair do trilho em trem fantasma era um pouco pior, e isso dona Diamantina não sabia. Mas, pelo jeito, supunha:

— Juscelino, cala a boca.

— Mas eu ainda nem respondi à senhora.

— Pois é. Estou te mandando calar a boca por precaução. Não quero ouvir nem uma sílaba da sua desculpa esfarrapada.

O filho obedeceu. Sabia que a havaiana de Juiz de Fora seria só uma unha encravada no dia em que a mãe soubesse do seu envolvimento com Carlos Lacerda — a quem ela continuava detestando com todas as forças mesmo após o anúncio do seu falecimento. A decisão de saltar do trem fantasma e deixar Lacerda definitivamente para trás tinha durado poucas horas, com a aparição exótica de Carolina, que mudou tudo.

Ou talvez não tivesse mudado nada: só fez Juscelino entender o quanto estava envolvido com a epopeia do ex-governador. Mesmo se sentindo estranho, culpado e com medo, dessa vez ele não ia conseguir ficar no trilho da Diamantina. Quem sabe houvesse outro trilho?

Trilho só existe um. O resto é precipício — diria sua mãe. O bordão ouvido por 37 anos agora reaparecia em versão terminal: dona Diamantina estava apontando a porta da rua para Juscelino.

— Filho fora do trilho é que nem feijão aguado: não tem jeito. Dizem que mãe tem que estar do lado do filho em qualquer situação. Comigo não tem essa. Não criei filho malandro. Quer se meter em confusão, o problema é seu. E quando o problema estourar, não quero confusão pro meu lado.

O taxista ouviu tudo perplexo. E a maior causa da perplexidade era que sua mãe parecia ter na cabeça o roteiro completo dos problemas e confusões em que ele de fato estava metido, mesmo não tendo sido informada de nada. Informação não era essencial para as antenas de Diamantina.

Sarah, a mulher de Juscelino, não ousou contestar a recomendação para que ele saísse de casa. A sogra tinha tanta influência sobre ela que aposentara seu nome de batismo, Madalena, para chamá-la como a esposa do ex-presidente JK. Madalena virou Sarah — até para a própria.

Quem reagiu foi o pai. Lembrou que era Juscelino quem botava dinheiro em casa, quem pagava o aluguel e quem tinha trazido os pais e o tio para morar de favor com ele, Sarah e os três filhos do casal. Não fazia muito sentido expulsá-lo da sua própria casa.

— Faz todo sentido, sim, senhor — rebateu de pronto Diamantina, atropelando a argumentação do marido como um trem-bala descarrilhado. — Quem tem saúde e juízo não morre de fome. Vou lavar roupa pra fora e criar os meus netos com dignidade. Quando o Juscelino puser a cabeça no lugar ele pode voltar.

Sarah tentou esconder o choro contido, mas dona Diamantina percebeu:

— E não quero ninguém chorando aqui. Não é uma tragédia. Tragédia é esconder problema. Se livrar de problema é bênção. Não existe lar sem dignidade. E casa que tem dignidade é lar, não importa quem more lá.

Nesse momento, foi o tio do taxista quem intercedeu:

— Espera aí, Tina. Tudo bem você estar com o pé atrás com o Juscelino. Mas acusar o garoto de não ter dignidade é um pouco demais, não acha? Eu acho que você anda gostando muito de fazer comício.

Desempregado e alcoólatra, tio Benjamin não tinha moral nenhuma para enfrentar a irmã. Mas era o único que a enfrentava. Mesmo perdendo todas.

— "Garoto"? Você disse "garoto", Benjamin? Não sei como ainda me impressiono com a sua cara de pau. Logo você, que não é exemplo pra ninguém.

Tio Benjamin também tinha sido rebatizado. O nome original, Valdir, caiu em desuso depois que Diamantina passou a chamá-lo, ainda na juventude, pelo nome do polêmico irmão de Getúlio Vargas — em alusão à propensão boêmia de ambos. Se Benjamin Vargas vivia na aba de Getúlio, tio Benjamin vivia na aba de Juscelino. E parecia não estar acreditando muito na promessa da irmã de que iria passar a sustentar a casa.

— Posso não ser exemplo, mas sou leal. Se o meu sobrinho tiver que sair dessa casa, eu saio junto.

O que mais preocupou Juscelino no brado retumbante do tio Benjamin foi a palavra final. Ele sabia que naquela comovente declaração de lealdade, sair "junto" significava continuar na sua aba. E não dava nem para pensar em administrar um tio biruta na vida clandestina em que estava mergulhando.

Pediu autorização à mãe para falar. Ela concedeu, com uma ressalva: "Se for conversa fiada, nem começa".

— Mãe, estou com o coração apertado...

— Se for pra se fazer de vítima, também nem precisa começar — interrompeu dona Diamantina.

— Não sou vítima de nada. A senhora tem razão, eu ando confuso. Não sei direito o que está acontecendo. Acho que o momento do país...

Foi interrompido de novo:

— País?! Que país, Juscelino? Você nunca se interessou pelo país. Nunca nem entendeu por que se chama Juscelino Kubitschek. Vai vir com essa de país agora?

— Me respeita, mãe.

A resposta inédita freou o ímpeto de dona Diamantina. Mas não a silenciou:

— Você se respeita?

— Não sei. Sempre respeitei tudo que recebi. De vocês, da Sarah, dos meus filhos, do meu trabalho. Estou admitindo que as coisas estão confusas pra mim de uns meses pra cá. Quando eu puder falar o que é, vou falar. Só peço à senhora que eu possa vir aqui em casa um domingo por mês pra ver a Sarah e as crianças e trazer o dinheiro do aluguel.

— Domingo, não. Vem segunda-feira. E não precisa trazer dinheiro.

Juscelino baixou a cabeça e não disse mais nada. Diamantina também não. Quem quebrou o silêncio foi tio Benjamin:

— Não abaixa a cabeça, sobrinho! Tu vai dar a volta por cima. Eu vou contigo.

O taxista levantou a cabeça, com ânimo apenas para repelir a ameaça de solidariedade:

— Não dá, tio Benjamin. Eu viajo muito com o meu cliente novo, não tem um lugar sossegado pro senhor ficar.

— E quem disse que eu quero sossego, garoto?! Viajar é comigo mesmo.

Depois de respirar fundo, Juscelino respondeu em tom mais duro, no limite da educação, para encerrar a questão:

— Não posso te levar comigo, tio Benjamin. Você não vai.

Dona Diamantina retornou à conversa para uma última determinação:

— Leva o seu tio com você.

* * *

Carolina estava regando o jardim frontal da chácara, que estava ocupando oficialmente havia um mês com a anuência de Lacerda, quando Juscelino chegou esbaforido. Ela falou antes dele:

— Andando a pé, Elvis? Cadê o seu táxi?

— É uma longa história. Primeiro preciso que você me ajude a resolver um problema urgente.

— Estou ocupada.

— É sério, Carolina. Depois você rega esse jardim. Aliás, é ridículo ficar regando um jardim imundo, cheio de mato.

— Tava te esperando pra isso. A foice tá naquele buraco ao lado do quarto do Lacerda. Não faz barulho que ele tá dormindo.

Juscelino teve que falar por cima de Carolina para conseguir expor o drama: tinham um "convidado". Ele estava dentro do táxi, estacionado cem metros antes da chácara. Não fazia a menor ideia do que fazer com o tio Benjamin.

— Deixa ele comigo — decidiu Carolina, no seu habitual estilo de falar antes e pensar depois. — Já sei o que fazer com o tio Benjamin.

O taxista logo entendeu que, se tinha chegado com um problema, agora tinha dois. Tentou explicar que seu tio não era uma pessoa qualquer, mas foi cortado:

— Não me interessa quem ele é. Aqui ninguém é melhor do que ninguém. Tá decidido: você vai com o táxi fazer compras na cidade e o tio Benjamin fica aqui capinando o terreno.

— Carolina, meu tio tem 60 anos, bebe muito e treme até pra segurar um garfo. Não tem como botar uma foice na mão dele, entende?

— Então traz ele aqui, Elvis. Eu vou avaliar. E você vai logo pro mercado, não tem mais nem papel higiênico aqui.

O que não tem remédio, remediado está, disse na cabeça de Juscelino a voz de dona Diamantina, que continuava ecoando mesmo fora do trilho. O gigante suspirou, caminhou até o táxi e largou tio Benjamin nas mãos de Carolina, com uma única recomendação ao pé do ouvido dela, enquanto o recém-chegado ia ao banheiro (pela sexta vez desde a saída de Caxias):

— Nem preciso te falar isso, mas vou falar pra ficar bem claro: em nenhuma hipótese o tio Benjamin pode saber do doutor Lacerda. Muito menos vê-lo. Vou tentar arranjar um quarto pra ele no Centro de Petrópolis. No máximo até amanhã resolvo isso.

— Vai fazer as compras, Elvis. E vê se se distrai um pouco, você tá muito estressado.

Se esforçando para continuar falando baixo, Juscelino usou seu tom mais grave, olhos nos olhos:

— Carolina: o tio Benjamin não é confiável. Entendeu?

Depois de fazer as compras, o taxista encheu a Brasília de sacolas e precisou mover o banco do passageiro para acomodar um último volume no chão. Ao puxar a trava debaixo do banco encontrou uma garrafa de cachaça pela metade. Como tinha revistado a mochila do passageiro na saída e na chegada, a garrafa só podia ter sido colocada ali ainda na garagem de casa.

Agora entendia por que na primeira das seis paradas para o xixi, tio Benjamin pediu a ele que abrisse a porta do carona por fora, alegando fraqueza nos braços. Foi a hora em que a cachaça se mudou para a mochila.

Meia garrafa entre Duque de Caxias e Petrópolis significava que o seu novo companheiro de viagem estava completamente bêbado antes das dez da manhã. Sentindo-se um irresponsável por largar aquela bomba humana no esconderijo de um político clandestino, acelerou com tudo em direção ao Rocio.

Entrou correndo na chácara e não viu ninguém — nem no jardim, nem na casa principal. Caminhou para os fundos do terreno com o coração aos pulos e virou estátua quando ouviu a voz do tio Benjamin saindo de dentro do quarto de Lacerda.

Tomou coragem, entrou no quarto e levou o maior choque de todos: sentados frente a frente, cada um com um copo de uísque na mão, Carlos Lacerda e tio Benjamin conversavam animadamente sobre política nacional. Ao vê-lo entrar, Lacerda soltou uma exclamação:

— Seu tio sabe muito, Juscelino! Você precisa conversar mais com ele.

Vendo o rosto do taxista sem cor, Carolina pôs um copo de uísque em sua mão:

— Relaxa, Elvis. Tá tudo bem.

Na mistura selvagem de sentimentos, Juscelino deu um gole no uísque e um abraço em Carolina. Seu tio estava no meio da explicação sobre as peripécias de Benjamin Vargas que levaram sua irmã, Diamantina, a passar a chamá-lo assim:

— Um dia a Tina me falou que ela era "que nem o Getúlio Vargas": tinha um irmão que fazia tudo errado, mas não conseguia se livrar dele. Foi assim que eu virei Benjamin. Ninguém me chama mais de Valdir.

— E o seu apelido também é Beijo, que nem o irmão do Getúlio? — quis saber Lacerda.

— Não. Benjamin, no caso, já é o apelido, né? Não sei se te falei, meu nome é Valdir...

— Claro que falou, tio — interveio Juscelino, impaciente. — O senhor acabou de falar que ninguém te chama mais de Valdir.

— Falei? Ah, desculpa aí, seu Carlos. É tanta coisa na cabeça que a gente vai ficando esquecido. Mas a Diamantina me disse que eu nunca poderia ser chamado de Beijo.

Mesmo desconfortável com o surrealismo da situação, Juscelino ficou curioso com mais aquela tirada de sua mãe, que ele não conhecia, e perguntou por quê.

— Porque ela me dizia assim: "Beijo é o apelido certo pra um sujeito charmoso, poderoso e problemático. Você é só problemático".

Lacerda soltou uma gargalhada estrondosa, e todos riram junto. Em seguida, o ex-governador ficou sério e disparou uma pergunta de interrogatório para Benjamin:

— Eu soube que a sua irmã me odeia. É verdade?

— Olha, seu Carlos. Isso aí só perguntando pra ela. O que eu posso lhe dizer é que a Diamantina não é de beber. E quando veio a notícia da sua morte ela comprou uma garrafa de champanhe com o dinheiro da janta. Mas se isso é ódio eu não sei dizer. Às vezes é só alegria, né?

O constrangimento tomou conta do ambiente, mas Lacerda seguiu firme no interrogatório:

— E você, Benjamin? Também ficou alegre com a minha morte?

— Não vou mentir pro senhor. Eu também bebi o champanhe. Até mais que os outros. Mas eu sempre bebo mais que os outros, né? Então não foi assim... Como é que eu vou dizer? Não foi assim propriamente em homenagem ao senhor, né?

Dessa vez só Carolina teve coragem de rir. Riu sozinha e foi convidada por Juscelino para um rápido passeio no jardim. O intuito era basicamente perguntar a ela como Lacerda tinha sido receptivo com um desconhecido que poderia colocar em risco a clandestinidade dele.

— Como assim, desconhecido? Ele é seu tio!

— Carolina, não enrola. Qual foi a mágica que você fez pro doutor Lacerda aceitar essa invasão?

— Eu falei que o tio Benjamin era fã dele e tava muito feliz que ele não tinha morrido.

— Você é completamente louca! E agora? Agora ele já tá desconfiado. Com toda razão! Por que você não obedeceu a minha determinação de manter meu tio distante do doutor Lacerda?

Ela foi sincera. Disse que, num descuido, perdeu Benjamin de vista e não o achava em lugar nenhum. Nem no esconderijo dos fundos da chácara ele estava. Saiu andando pelas imediações e nada. Voltou aflita e dessa vez já o encontrou conversando com o ex-governador sobre Marilyn Monroe.

— Marilyn Monroe?!

— É. O tio Benjamin me explicou que a garrafa de cachaça dele ficou no seu táxi e ele foi procurar outra na região. Encontrou o Bar da Marilinha, e já apelidou Marilinha de Marilyn, por ser falsa loira e fumar Hollywood. Ele tava dizendo pro Carlos que gosta de dar apelidos carinhosos a quem ajuda ele.

— Ajuda? Ajuda como?!

— A Marilinha topou vender uma dose de cachaça fiado. Ele disse que sem essa ajuda não conseguiria andar todo o percurso de volta.

A perplexidade de Juscelino aumentou um pouco quando Carolina explicou que Lacerda se interessou pela conversa ao saber, pelo tio Benjamin, que Marilyn Monroe não era loira natural. Aí o taxista quis saber de que forma essa informação valiosa se transformaria numa garantia de segurança para um clandestino diante de um linguarudo beberrão.

— Calma, Elvis. Tava tudo dando certo, o Lacerda tava adorando a conversa, até cismar de perguntar pela sua mãe. Também, pra que perguntar isso, né?

— Claro. Pra quê? Pra que o Carlos Lacerda foi estragar o roteiro que você montou na sua cabeça? Realmente é uma injustiça. Você vai reclamar com ele?

— Não. Eu vou resolver essa situação agora.

Saiu marchando de volta ao quarto, sentou entre os dois homens e disparou:

— Tio Benjamin, a sua irmã é fã de Getúlio Vargas e fanática por Juscelino Kubitschek. E você?

— Eu, o quê?

— Você também é fã de Getúlio e Juscelino?

— Eu não.

— Por quê?

— Minha filha, o maior inimigo do político é o bêbado. Todas aquelas maravilhas que eles prometem no alto do palanque a gente consegue conquistar encostado no balcão do bar. Brasília é um porre. Se é que você me entende...

Lacerda estava não só entendendo, como acompanhando com atenção a lógica peculiar do visitante. Carolina continuava tentando obter um seguro contra traição:

— Então você não pensa como a sua irmã?

— A Diamantina acredita que o Getúlio e o Juscelino gostavam mais do povo que os outros. Falta a ela experiência de botequim.

— Certo. E o que ela faria se soubesse que Carlos Lacerda está vivo e escondido?

— Botaria a boca no mundo.

— E você?

— Se eu botasse a boca no mundo perderia a boquinha que o meu sobrinho generosamente me concede.

— Por quê? Ele seria perseguido?

— Sim.

— Pelo regime?

— Não. Pela Diamantina. É o regime mais duro que existe. Ela ia acabar com a raça dele.

Lacerda olhou para Carolina e fez um discreto sinal afirmativo. Ela entendeu que a sua pescaria estava aprovada e o peixe estava na rede. Propôs um brinde a JK, olhando para o taxista. Quando ergueram seus copos, uma sequência de palmas batidas em frente à chácara paralisou a todos.

Após alguns segundos de pausa, ouviu-se nova batida de palmas, agora com mais força. Tio Benjamin se levantou cambaleante:

— Vou lá ver quem é.

Carolina puxou-o de volta à cadeira com força, já tapando sua boca. Juscelino sussurrou para esperarem imóveis até que a pessoa desistisse.

Mas ela não desistiu. E voltou a bater palmas com mais força ainda. Em quase seis meses, era a primeira vez que alguém batia lá. O início de ocupação da parte frontal da chácara, até então abandonada e agora com os primeiros sinais de habitação, provavelmente tinha chamado atenção de algum curioso.

— Falei que era melhor deixar como estava — rosnou o taxista. — Fachada esconde ou chama atenção?

Dizendo que não ia entrar em debate numa hora daquelas, Carolina se dispôs a ir ver quem era. Como as palmas tinham cessado, Lacerda contrapôs:

— Vamos esperar. Se baterem mais uma vez, você vai.

O ex-governador passou a acompanhar o ponteiro de segundos do seu relógio, informando o tempo de espera: "um minuto"; "um minuto e meio"; "dois minutos". Ao anunciar cinco minutos, concluiu:

— Tudo ok. Foram embora.

No que terminou de falar, as palmas retornaram — agora mais insistentes. Carolina se levantou e falou sem nem olhar para os outros:

— Eu vou lá.

Caprichou no que achava ser sua melhor "cara de normalidade" e atravessou o jardim pisando firme, já soltando um "bom dia!" de longe, antes de enxergar quem estava por trás da cerca viva. Era um homem de seus 50 anos, calvo, sorridente e bem vestido, que foi perguntando antes de se apresentar:

— Olá. Posso ver a casa?

— Quem é você? — devolveu Carolina, tentando disfarçar a adrenalina.

— Ah, desculpe! Distração minha, nem me apresentei. Sou Marcius Bustamante.

— Certo. De onde?

— Corretor de imóveis! Sou bastante conhecido, achei que você tinha me identificado.

— Não.

— Sem problemas! Bem... Posso entrar?

— Meu caro, a chácara não está à venda.

— "Meu caro"... Poxa, há muito tempo não sou tratado com tanta intimidade. Você é a caseira dos proprietários?

Carolina hesitou, surpreendida pela pergunta. Mas agora não dava para consultar ninguém sobre o que responder:

— Não. Sou a dona.

— "A dona"! Uau, que jeito triunfante de falar! Olha, está certíssimo. Uma pessoa simples como você que consegue ser "a dona" de uma propriedade como essa tem mesmo que se orgulhar a cada sílaba! Mas vamos lá, prezada "dona": se não está à venda, a chácara está para alugar?

— Nem à venda, nem pra alugar.

— Que estranho... Será que me deram a informação errada? Você pode imaginar... Desculpe: "a dona" pode imaginar que com mais de trinta anos no mercado eu, Marcius Bustamante, não fico batendo pé por aí à toa, não é?

Como já estava falando sozinho, o corretor resolveu completar seu solo em estilo arrojado:

— Mas não se preocupe. Não vamos perder o nosso tempo: me mostre o imóvel rapidamente, não vou nem fotografar. Experiência é tudo, não é? Em 24 horas lhe faço uma proposta. E as minhas propostas já viraram a cabeça de muita gente que dizia "daqui só saio morto"! Então? Posso entrar?

— Vou pensar. Fica mais trinta anos batendo palma aqui na frente enquanto eu penso. Tchau.

Carolina bateu o portão com a força do tapa que gostaria de dar na cara do sr. Bustamante, para fazer seu sorriso de boneco ir parar na nuca.

Voltou para o esconderijo e relatou o acontecido aos demais. Juscelino se revoltou, arrependido de não a ter acompanhado, e decidiu finalmente aceitar a proposta de ocupar a chácara com Carolina, fazendo fachada para o esconderijo. Tio Benjamin reagiu à sua maneira:

— Esse corretor não é corretor. Se é, não veio aqui como corretor.

Lacerda concordou imediatamente e acrescentou:

— Fomos descobertos. Juscelino, vai pro Rio agora e pede ao meu pessoal na editora uma ligação internacional pro dr. Donald Kalmar Jr., na Flórida. Fala com o Donald exclusivamente o seguinte: "Plano B". Ele vai saber o que fazer.

RNAL DO BRASIL 27 NOV 1985 **Política**

Sarney elogia Brizola e promete ajuda

Pela segunda vez, o presidente Sarney participou da
guração de um CIEP (Centro Integrado de Educação
ca) em companhia do governador Leonel Brizola, a quem
enizou por sua "obstinação em favor do programa educa-
l". Ao destacar que "o trabalho de semear escolas é o de
erdadeiro político", ele manifestou disposição de colaborar
que a iniciativa "tenha êxito e melhore a vida dos
leiros".

O CIEP do Mutirão Novo, em Nova Iguaçu, recebeu o
e de Gustavo Capanema, ministro da Educação de Getúlio
is. A contribuição do político mineiro à educação no país
destaque nos discursos de Sarney, de Brizola e do vice-
rnador Darcy Ribeiro. À cerimônia estiveram presentes a
do homenageado, D Maria Capanema, e a mulher do
dente, D Marly Sarney.

Entre os discursos de Brizola e de Darcy, falou a menina
ia Lemos Antunes, da 3ª. série, que agradeceu a constru-
la escola. Emocionada, ela terminou com uma crise
. Sarney e Brizola caminharam até a cerca
ar a multidão. Compareceram à sole
nete Militar da Presidência da
s, o secretário estadu
to de Oliveir
ervent

Foto de Delfim Vieira

entam no almoço em honra à fundadora do MAM, D Niomar

menagem a Niomar Sodré

esidente da ABI, Barbosa Lima Sobri-
, e o acadêmico Antônio Houaiss.

O primeiro a falar foi o vice-
nador que lembrou quando Nio-
em 64, assumiu o **Correio da**
, porta-voz da liberdade, e foi
presa, perseguida".

Niomar agradeceu, afirmando
dicou durante muitos anos a
MAM, fundado por ela em

do Nascimento Brito para a presidência,
cuja operosidade já se manifestou em tão
pouco tempo, empenhando-se em novas
campanhas financeiras, edificará o teatro, dando o equilíbrio fundamental ao
grandioso projeto de Affonso Eduardo
Reidy.

Sarney encerrou a solenidade com
um discurso de improviso: "Em nome da
nação aqui estou para que a República
resgate-se das injustiças que cometeu

TONELEROS

ARQUIVO INATIVO

A oligarquia tenta... corrupção para o homicídio

MILTON CAMPOS (Ex-governador de Minas)

O BOY, O DESPACHANTE E A FALSA LOIRA

— Tu acha que esse cara é o Lacerda mesmo?

— Que Lacerda?

— "Que Lacerda?" Tu não viu o jornal hoje? Olha aqui, meu amigo. Primeira página.

— Ah, tá.

— E aí? É ele?

— Se o jornal diz que é, é porque é, né?

— Tem gente dizendo que pode não ser.

— Por quê?

— Porque o Lacerda morreu.

— Morreu e tá dando entrevista? Como ele consegue?

— Tá justamente explicando que não morreu. Que tava escondido.

— Escondido de quem?

— Não sei. Ainda não li a entrevista toda.

— Então lê aí e me fala.

— Você não vai ler?

— Não.

— Rapaz... Tem gente comprando jornal de segunda mão aqui na Cinelândia pra ler a entrevista do Lacerda e você não tá nem aí?

— Posso te fazer uma pergunta?

— Claro.

— Quem é o Lacerda?

Se ouvisse o diálogo num banco de praça em frente ao Bar do Amarelinho às duas da tarde do dia 7 de outubro de 1988, uma sexta-feira, Carlos Lacerda pensaria duas vezes antes de cogitar sua candidatura a presidente em 1989. O quadro era claro: mais de uma década depois do seu desaparecimento, para parte da população mais jovem e menos instruída a sua relevância política também tinha desaparecido.

O despachante de seus quarenta anos explicou ao *office boy* de pouco mais de 20 que Lacerda era ex-governador da Guanabara. A soma das duas "não referências" — um político que ele não conhecia e um estado que não existia mais — aguçou a disposição do jovem de não ler a entrevista no *Jornal do Brasil*. Além disso, como todo *boy*, ele estava com pressa. Mas o despachante queria papo e, vendo que estava prestes a perder seu interlocutor, que não parava de olhar o relógio, jogou uma informação mais apetitosa:

— Lacerda foi o primeiro governante do Rio eleito pela população.

— Rio? Não era Guanabara?

— Rio, Guanabara... Dá no mesmo.

— Como assim? O estado tinha dois nomes?

— Não... Quer dizer: o estado era Guanabara e a cidade era Rio de Janeiro.

— Então nessa época não tinha o estado do Rio de Janeiro.

— Tinha.

— Não era Guanabara?

— A Guanabara ficava dentro do Estado do Rio.

— Um estado dentro do outro?!

— É... Não... Sei lá. A Guanabara ficava dentro do Estado do Rio no mapa, mas não pertencia ao Estado do Rio, entendeu agora?

— Mais ou menos. A Guanabara ia até onde?

— Até onde vai a cidade do Rio.

— E a cidade do Rio ia até onde?

— Até onde ia a Guanabara.

— Porra, você tá me sacaneando. Dá licença que eu tô atrasado.

O despachante reconheceu que a situação era confusa, mas que era assim mesmo. E disse que o *boy* precisava se interessar mais por aqueles assuntos porque ia votar pela primeira vez para presidente no ano seguinte. O *boy* respondeu já se afastando:

— Companheiro, lê a política aí e depois me conta. Eu tenho que decidir se vou pegar o Aterro do Flamengo ou o Túnel Rebouças.

O despachante falou quase para si mesmo:

— Os dois foram feitos pelo Lacerda.

O *boy* ouviu, deu meia-volta, se sentou de novo no banco da praça e foi ler a entrevista no JB com o despachante.

CARLOS CASTELLO BRANCO: Por que o senhor achou que seria assassinado?

CARLOS LACERDA: Não achei. Desconfiei. Ouvi uma conversa suspeita entre enfermeiras.

CCB: Que conversa?

CL: Não vou entrar em detalhes porque não tenho provas.

CCB: Isto não é um inquérito, é uma entrevista.

CL: Ouvi uma enfermeira dizendo a outra que "a encomenda estava pronta". Mas não tenho certeza.

CCB: De quê?

CL: De nada.

CCB: E sem certeza de nada o senhor achou que deveria cair na clandestinidade e simular a própria morte?

CL: Fui perseguido, cassado, banido e tenho razões suficientes para acreditar que queriam que eu sumisse do mapa quando estava prestes a recuperar meus direitos políticos.

CCB: Quem queria?

CL: Não sou estúpido o suficiente para dizer.

CCB: Ainda se sente ameaçado onze anos depois?

CL: Faz só três anos e meio que Tancredo Neves morreu.

CCB: O senhor suspeita da morte de Tancredo?

CL: Não quero fazer insinuações. Tancredo estava saudável. Teve uma diverticulite. Não é comum morrer disso.

CCB: O quadro se complicou.

CL: Pois é. E continua complicado.

CCB: É complicado retomar a democracia com uma Constituição cidadã?

CL: Cidadania não se cria com demagogia.

CCB: O senhor vai continuar apostando na polêmica?

CL: Polêmica é não se curvar às vacas sagradas? Uma Constituição não pode ser um dicionário de boas intenções. Até tabelamento de juros tentaram enfiar na Carta Magna. Isso vai amarrar o país no futuro.

CCB: Por que então o senhor não saiu do esconderijo e veio discutir o texto com os constituintes e o restante da sociedade?

CL: Me arrependo. Deveria ter feito isso. Ou talvez me arrependa de estar reaparecendo agora e não em 1990 sob o novo governo eleito pelo povo. Não confio no regime atual.

CCB: O senhor está reaparecendo agora porque quer disputar a eleição presidencial.

CL: Isso é você que está dizendo.

CCB: Estou errado?

CL: O tempo dirá.

CCB: Então estou certo. Quem o senhor considera seu maior adversário eleitoral: Ulysses, Maluf ou Brizola?

CL: Ulysses é Sarney com verniz parlamentarista, Maluf é o autoritarismo de ontem e Brizola é o autoritarismo de anteontem. Não vão a lugar nenhum.

CCB: O que acha do jovem "caçador de marajás" Collor de Mello? É uma promessa, como muitos estão dizendo?

CL: É uma invenção da imprensa. Ocupa o espaço vazio deixado pela corrida geral ao novo populismo. Se a classe política se abraça a uma suposta redemocratização proclamada com "ódio e nojo", naturalmente se abre um espaço para quem oferecer pragmatismo em lugar de demagogia. Mas Collor não é pragmatismo. É fantasia de modernidade.

CCB: Quem é pragmatismo?

CL: Eu.

CCB: Então já está em campanha?

CL: Não estou prometendo fazer nada. Estou falando do que já fiz.

O *office boy* se levantou do banco de praça e disse que para ele já estava bom:

— Metido, esse Lacerda, hein? "Falando do que já fiz..."

— Ué? Contou alguma mentira? Acabei de te falar do Aterro e do Rebouças. Quem fez tem que falar mesmo — devolveu o despachante, já sem conseguir disfarçar seu lacerdismo.

— Irmão, o cara tem 74 anos e diz que é mais moderno que o outro que tem 38. Não força.

— Não disse que é mais moderno. Disse que a modernidade do Collor é falsa. Vai dizer que você já colloriu?

— Tem que botar sangue novo mesmo. Tirar a velharia. Já roubaram demais.

— Você é jovem. Conversa comigo daqui a dez anos sobre esse Collor.

— Que dez anos, amigo? Amanhã tô aqui de novo. Você é meio chato, mas eu aprendo contigo.

O despachante riu:

— Vou parar de trabalhar na rua. Estou abrindo um escritório.

— Me contrata. Eu sou o *boy* mais rápido da Guanabara.

— Sacana você é. Rápido, não parece. Meia hora atrás disse que tava com pressa. Alguém deve estar esperando sentado a sua rapidez...

— Eu menti. Já resolvi o dia todo de manhã. Só falta pagar uma conta de luz, tenho até as 16h. Falei que tava com pressa porque vi que tu tava com muita vontade de falar.

— Então ouve só mais uma coisa aqui.

O despachante levantou o jornal e começou a ler em voz alta uma resposta ácida de Lacerda: "Minha maior decepção com o Rio foi a eleição do Brizola em 1982, um dos momentos mais difíceis da minha clandestinidade. Foi duro ficar vendo isso acontecer sem poder falar nada. Nunca achei que o Rio fosse importar aquele caudilho do Sul. Acho que se a população soubesse que eu estava vivo não teria feito isso. O caudilho esculhambou a ordem urbana que eu ajudei a criar. Tudo populismo eleitoreiro. Brizola quer ser presidente, mas é só um bagunceiro".

A leitura foi interrompida por um tapa que rasgou o jornal ao meio. O autor da agressão era forte, usava camisa vermelha e broche com o rosto de Leonel Brizola. Bateu e ficou. O despachante e o *boy* ficaram cristalizados diante da postura desafiadora do agressor, que passou a interpelá-los:

— Quem é bagunceiro aí? Quero ver tu repetir isso bem alto, pra todo mundo ouvir.

Nos anos 1980, a Cinelândia também era conhecida como Brizolândia, pela quantidade de militantes brizolistas que se reuniam diariamente na grande praça no Centro do Rio. Enquanto falava, o homem de vermelho fazia sinal para um grupo numeroso reunido próximo à escadaria do Palácio Pedro Ernesto — todos também de vermelho e vários carregando bandeiras partidárias e sindicais. Rapidamente o banco de madeira em frente ao Bar do Amarelinho estava cercado.

— E agora? Repete aí o que tu falou. O Brizola é o quê?

— Eu não falei nada. Estou lendo jornal com meu amigo, só isso.

— Só isso, porra nenhuma. Ninguém lê jornal falando alto. Tu tá fazendo comício!

O militante parrudo fez a acusação já arrancando das mãos do despachante o jornal rasgado com o primeiro tapa e amassando-o com raiva até virar uma bola de papel. Estático até esse momento, o *office boy* avançou e arrancou a bola de jornal das mãos do agressor:

— Devolve essa porra! Não é teu! Vai procurar o que fazer, parasita de merda!

O despachante ficou pálido e teve certeza de que aquela era a hora do linchamento, até porque depois do arroubo do seu amigo o restante do grupo brizolista estava fechando em cima da dupla. O *boy* era magro, mas estava possesso e encarou o grandão:

— Tu é valente mesmo? Então afasta os teus puxa-sacos e faz na mão comigo. Só comigo.

O cacique da Brizolândia sorriu, mandou seus parceiros se afastarem e tirou a camisa, parecendo mais forte ainda. O despachante deu um salto do banco e parou na frente dele:

— Calma aí, companheiro. Assim vai acabar todo mundo preso.

— Não vai ter ninguém preso. Só esfolado. A polícia aqui não se mete. Sai da frente que o seu amiguinho quer que eu bata só nele.

Empurrado para o lado, o despachante voltou para a frente do militante com uma última cartada:

— Quem ofendeu o Brizola foi o Lacerda. Eu conheço ele. Libera a gente e eu prometo que trago o Lacerda aqui.

— Tá achando que eu tô de bobeira, otário? Eu te saco, tá sempre aqui no Amarelinho. Tu não é porra nenhuma.

O despachante engoliu em seco e persistiu:

— Você não me vê sempre aqui? Pois é, a minha clientela tá toda nessa área. Não tenho como sumir. Então vou ter que cumprir a minha palavra, senão você me pega.

O militante hesitou pela primeira vez. Foi obrigado a pensar como seria bom ter um inimigo graúdo à mercê da brizolândia.

— Tu trabalha com quê, ô prego?

— Sou assessor administrativo.

— Que porra é essa?

— Resolvo problema no Detran, Félix Pacheco, cartório...

— Ah, tu é despachante.

— Cada um chama de um jeito...

— Despachante metido a besta, pelo visto. Vou liberar vocês. Mas tu tem dois dias pra trazer o inimigo aqui.

— Dois dias não tem como. Me dá uma semana.

— Que despachante lerdo que tu é. Ok. Mas segunda-feira quero te ver aqui. Tu vai tirar a segunda via da minha carteira de motorista. Quanto tempo leva?

— No governo Brizola era mais rápido.

— Tá dizendo que tinha esquema no governo Brizola?!

— Não... É que funcionava melhor.

— Ah, bom. Se manda. E leva esse galeto pra mãe dele.

O *boy* esboçou uma reação orgulhosa à provocação, mas foi puxado com força pelo despachante.

Os dois caminharam em direção à Avenida Beira-Mar em silêncio, para baixar a adrenalina. Depois de algum tempo, o *boy* comentou:

— Não sabia que você conhecia pessoalmente o Lacerda.

— Nem eu.

O despachante admitiu que tinha inventado a proximidade com o ex--governador para se safar da surra. E que agora não tinha a menor ideia de como resolver a situação. O *boy* lhe devolveu o jornal, ou a bola de jornal, junto com a sugestão:

— Liga pro *Jornal do Brasil*.

Pararam em frente a um orelhão e começaram a desamassar o jornal para pegar o telefone da sede. Vendo de novo o trecho da entrevista em que Lacerda respondia onde tinha se escondido, o despachante mudou de ideia:

— Vou fazer melhor: vamos pra Petrópolis.

— "Vamos", quem?

— Eu e você.

— Esquece. Tenho mais o que fazer.

— Não tem, não. Amanhã é sábado.

— E tu acha que vou gastar o meu sábado procurando um cara que você nem sabe se tá vivo?

— Você arriscou sua pele pelo Lacerda na Brizolândia. Se ele for presidente você pode até ser *boy* do Palácio.

— Palácio tem *boy*?

— Se não tiver, ele cria.

— Não tem uma coisa melhor?

— Você não gosta de ser *boy*?

— Prefiro segurança.

— Segurança com o seu físico só se for pro presidente mostrar que é corajoso.

— Eu ia arrebentar aquele militante. Você não me conhece.

— Tá bom, Gregório Fortunato. A gente discute isso no ônibus.

— Gregório quem?

— Deixa pra lá.

* * *

Depois de rodarem por várias horas no Rocio, região de Petrópolis onde Lacerda dissera no JB que estava vivendo, o despachante e o *boy* não tinham encontrado uma alma que soubesse do paradeiro do ex-governador. A maioria dos consultados nem tinha visto a Coluna do Castello. E os que tinham visto, não tinham acreditado na revelação. Exaustos, entraram num bar e ocuparam os dois únicos bancos vagos no balcão.

— Vou ter que cantar em outra freguesia. Aqueles brizolistas me marcaram. No Centro não dá mais pra trabalhar — suspirou o despachante. — Vou tentar a Zona Sul. Tenho uma cliente em Copacabana, vou ver se ela me recomenda uns amigos. Problema é que Zona Sul é só serviço miúdo pra filho de rico.

— Zona Sul não rende. Vou te apresentar o meu patrão, lá na Presidente Vargas. Escritório de contabilidade. Clientela não é rica, mas você ganha no volume. O movimento não para.

— Faz isso por mim, Gregório Fortunato.

Um vizinho de balcão se meteu na conversa ao ouvir aquele nome:

— É parente do chefe da guarda?

O despachante e o *boy* nem responderam, até porque a pergunta vinha de um velho muito bêbado, com a fala bastante enrolada — o tipo do diálogo inviável. Mas ele insistiu:

— Eu ouvi direito? Quem de vocês é Gregório Fortunato? Eu conheço o homem que ele mandou matar.

O despachante ficou intrigado. Resolveu dar uma resposta qualquer:

— Não, meu amigo. É só uma brincadeira. O meu parceiro aqui cismou que quer trabalhar como segurança, com esse porte físico que não assusta nem mosca. Chamei de Gregório Fortunato pra sacanear. Poderia ter chamado de Rambo.

Mas o velho era um disco arranhado:

— Eu conheço o homem que o Gregório Fortunato mandou matar.

O despachante já estava desconversando, mas o *boy* resolveu entrar na conversa:

— Quem o Gregório Fortunato mandou matar?

O velho só rosnou:

— Vai estudar, garoto.

Nessa hora, a ficha caiu para o despachante. O vizinho de balcão estava falando do atentado da Rua Tonelero:

— O senhor está dizendo que conhece Carlos Lacerda?

— Não estou dizendo. Eu conheço.

O *boy* se virou para o despachante, confuso:

— Mas ele não disse na entrevista que quem tentou matar foi uma enfermeira?

— Espera aí, Gregório. Nós estamos falando do chefe da guarda do Getúlio Vargas. Outra época.

E se voltou para o velho bêbado:

— Então é verdade que o Lacerda está vivo?

— Vivinho da Silva. Semana passada mesmo eu tava tomando uísque com ele. Aí cismou de ir pra Brasília. Falei pra não ir. Agora tá lá, cheio de problema.

— Ele deu a entrevista pro Castelinho em Brasília?

— Estou te falando, rapaz. Você é surdo ou o quê? Foi de táxi pra Brasília se meter no debate da Constituinte. Constituinte não, que já foi promulgada. Constituição.

— De táxi?!

— Olha aqui, parceiro. Isso tudo que eu tô te falando é segredo. Mas agora o seu Carlos resolveu jogar no ventilador, né? Então foda-se.

O despachante começou a acreditar no velho bêbado. Resolveu tocar a conversa em frente:

— O senhor acha que o Lacerda vai se candidatar a presidente?

— Sei lá. Nunca me disse nada.

— Na entrevista ele não desmente, né? Se for mesmo candidato, será que ele aceitaria um debate com o Brizola?

— Por que isso?

— Por nada. Quer dizer... Eu conheço uns assessores do Brizola, teria facilidade de marcar.

O *boy* olhou com raiva para o despachante:

— Você conhece quem?!

Mas foi atropelado pelo velho bêbado:

— Eu tava te achando mesmo com cara de brizolista.

— Não é que eu seja...

— Não precisa se explicar, querido. Cada um gosta de quem quiser. Por mim, tudo bem. Você trabalha com quê?

— Sou assessor administrativo.

— Tipo aspone?

— O que é aspone? — perguntou o *boy*, cada vez mais confuso.

O velho dessa vez não o mandou estudar:

— Aspone é assessor de porra nenhuma.

O jovem deu uma gargalhada tão contagiante que o velho desandou a rir também, emendando num interminável acesso de tosse. De olhos arregalados, foi ficando sem ar, e todos no bar prenderam a respiração junto, esperando o desfecho fatal.

Só quem agiu, com relativa calma, foi a balconista: agarrou o velho pela gola por cima do balcão, enfiou-lhe na boca uma garrafa de cachaça e virou. Em trinta segundos, a agonia estava terminada e o paciente já tinha voltado a cambalear normalmente.

Perplexo com a técnica salvadora da balconista, o despachante perguntou como ela sabia que aquele socorro exótico daria certo. A resposta foi científica:

— Meu caro aspone, faço isso há mais de dez anos. O seu Benjamin nem se preocupa mais, só olha pra mim e espera o remédio.

A conversa prosseguiu como se nada tivesse acontecido. Gregório Fortunato, tio Benjamin, Aspone e Marilyn Monroe (a balconista) passaram a discutir se Carlos Lacerda toparia ou não debater em praça pública com Leonel Brizola. Só aí o *boy* entendeu a jogada do despachante: se Lacerda topasse o debate, ele cumpriria a promessa de levar o "inimigo" à Brizolândia e salvaria a pele da dupla.

Além de se especializar em salvar a vida do velho Benjamin a cada porre, a balconista do bar mais fuleiro do Rocio tinha virado também sua confidente. Era a única pessoa da região que sabia da clandestinidade do ex-governador. Tinha sido transformada pelo pinguço de Marilinha em Marilyn — por ser falsa loira e fumar Hollywood — e ele dizia que ela tinha ficado ainda mais parecida com Marilyn Monroe depois que passara a "saber segredo de político", num paralelo meio tosco entre Carlos Lacerda e John Kennedy. Logo o tratamento estelar seria assimilado por toda a clientela, mesmo ninguém sabendo de onde vinha.

Mas agora Marilyn tinha um segredo que não podia compartilhar com Benjamin.

Aspone e Gregório saltaram de susto ao ver um homem forte e bem alto entrar aos berros no bar, chegando a derrubar uma cadeira no caminho. Sem olhar para ninguém, foi direto ao balcão, encarou Marilyn e perguntou:

— Cadê a Carolina?!

A notícia de um assassinato no Rocio tinha chegado a Brasília com poucas informações. O que se sabia era que um corpo de homem com duas perfurações a faca no peito tinha sido encontrado num rio da região, em estado que ainda não tinha permitido a devida identificação. Roupas possivelmente pertencentes ao homem morto tinham sido localizadas secas e intactas na margem do rio — sem documentos, mas com um bilhete em um dos bolsos da calça onde se lia "Carolina, o mundo dá voltas".

Segundo a imprensa, a polícia estava aguardando a identificação do corpo para investigar no universo de relações do homem morto alguma pessoa com o nome que aparecia no bilhete. Por telefone, tio Benjamin avisara a Juscelino que Carolina tinha sumido de casa. O taxista pediu autorização a Lacerda para comprar uma passagem aérea Brasília-Rio e chegou ventando ao bar no Rocio.

Pelos anos de convivência e pela cumplicidade feminina numa situação tão especial, ninguém sabia mais da vida de Carolina do que Marilyn. Diante da imobilidade e do silêncio dela, Juscelino repetiu sofregamente a pergunta, já segurando energicamente o braço da balconista. Mas o que se ouviu foi a voz embolada do tio Benjamin:

— Não adianta, sobrinho. Já perguntei. Ela não vai dizer onde a Carolina tá.

THE Sun

HE WAS 42 AND ALONE

Wednesday, August 17, 1977 6p TODAY'S TV PAGES 12 and 13

KING ELVIS DEAD

From ROSS WARY in New York

ELVIS PRESLEY, the rock 'n' roll king who thrilled millions, died alone yesterday aged 42.

He was felled by a massive heart attack . . . and died in his mansion home before help could reach him.

Elvis, who had been ill for some time, was found by his road manager Joe Esposito.

Mr Esposito sent for an ambulance and tried to revive Elvis.

Then medical staff massaged the superstar's heart as the ambulance sped from his home in Memphis, Tennessee to the city's Baptist hospital.

A massive heart attack at mansion

The idol who had the whole world rocking
Pages 4 and 5

FATHER

Elvis's personal doctor, George Nichopoulos, who was in the ambulance, kept imploring the singer: "Come on, Presley, breathe. Breathe for me."

relatives after death was confirmed.

"I don't know why we are here— we're just paying our condolences," said a middle-aged woman who stood with a throng at the hospital gates

The sudden death will shock millions of Elvis fans world-wide.

But it was no surprise to those close to him.

For Elvis, the poor boy who became the world's paid performer, was his own phen-

food—hamburgers and soft drinks—became an addiction, as did his thirst for thrills and experiences . . . and drugs.

Elvis sought kicks with cars, motorcycles, women, parties, guns, pinball machines, pool tables and no timetable.

He liked to stay up late —all night if he was enjoying himself—surrounded by the cousins and bodyguards that comprised his "Memphis Mafia."

DRUGS

To keep his body going as he sated himself, he turned more and more to drugs.

Red West, a bodyguard, said recently: "He takes pills to go to sleep, he takes pills to get up, he takes pills to go to the lavatory, and he takes pills to stop from going."

Mirror

ITAIN'S BIGGEST DAILY SALE 7p Wednesday, August 17, 1977

ELVIS PRESLEY IS DEAD

LVIS PRESLEY, the unchallenged king of Rock n' Roll, is dead.

From ANTHONY DELANO in New York

O X-9 CHEGOU

— Plano B.

— *What?*

— Plano B!

— *Who's there?*

— Eita... B Plan! Plan B!

A ligação caiu. Juscelino pediu à secretária da editora que ligasse novamente. A mesma voz masculina atendeu e ele continuou tentando passar o código:

— Plano B!

— *Sorry. Who's speaking, please?*

— Meu Deus do céu... Plano B! Plano B!! O que mais eu posso dizer?

Donald Kalmar Jr. passou pela sala e viu seu mordomo às voltas com o telefonema enigmático. Perguntou-lhe quem era e o funcionário respondeu que a voz do outro lado era incompreensível. O patrão mandou desligar.

Em menos de um minuto, o telefone da mansão na Flórida voltou a tocar. Dessa vez, Donald disse ao mordomo para não atender. Ele próprio atenderia. Ao colocar o fone no ouvido, nem teve tempo de dizer "*hello*". O grito do outro lado quase o ensurdeceu:

— PLANO B!!!!!!

Donald arregalou os olhos, balbuciou um "ok" e desligou o telefone. Seu mordomo perguntou se estava tudo bem. O empresário apenas ordenou que seu jato particular fosse preparado para voar imediatamente para o Brasil.

* * *

Nos fundos da chácara no Rocio, a escuridão era total. Depois da aparição do corretor de imóveis que todos concluíram ser um espião, a ordem de Lacerda era para que nenhuma luz fosse acesa aquela noite, até decidirem para onde iriam. Numa das suas idas e vindas ao banheiro, tio Benjamin tropeçou em si mesmo e caiu de cabeça no chão. Carolina acendeu um fósforo e fez a dupla constatação: sangramento abundante e desmaio.

Temendo a possibilidade de estarem tocaiados, tinham decidido, além de ficar no escuro, fazer silêncio absoluto. Como não havia outras fontes de ruído nas redondezas, a queda do tio Benjamin virou um estrondo — amplificado pelo som estridente do seu copo de uísque se espatifando.

Divididos entre socorrer a vítima e vigiar o lado de fora, Carolina e Lacerda acharam que tinham ouvido barulho de passos no jardim. Depois tiveram certeza.

Lacerda engatilhou sua pistola. Carolina o repreendeu, sussurrando que largasse a arma. Ela achava que se estivessem realmente cercados, a chance de êxito num tiroteio era zero — e estariam impondo a si mesmos a sentença fatal. O ex-governador respondeu que jamais capitularia sem reagir.

Os passos foram ficando mais nítidos e mais próximos, até ficar visível um vulto na escuridão do jardim. Lacerda abriu um pequeno basculante, apontou a arma para fora e soltou a voz firme:

— Quem tá aí?! Se identifica ou eu atiro!

— Calma, doutor! Sou eu, Juscelino.

O taxista tinha desistido de pernoitar no Rio, conforme combinado anteriormente, porque já tinha conseguido falar com Donald — e logo após o telefonema, quando ainda estava na editora, recebeu um fax do empresário com a mensagem "Fiquem onde estão".

Mais um fósforo riscado mostrou ao recém-chegado a cena do tio Benjamin caído no meio da pequena sala com a cabeça ensanguentada. Juscelino não se impressionou. Perguntado por Carolina se era melhor colocá-lo no táxi e levá-lo para uma emergência, foi lacônico:

— Não precisa. Daqui a pouco ele acorda.

Informado sobre a mensagem de fax enviada por Donald, Lacerda não teve dúvidas:

— Se ele falou pra não sairmos daqui, com certeza mandou escolta. Juscelino, dá uma volta aí pelo terreno. Se tiver alguém passeando de bicicleta em frente à chácara com cara de distraído é homem do Donald.

— Desculpe perguntar, doutor. Um segurança basta pra protegê-lo se o regime militar vier buscar o senhor?

— O regime militar não vai vir me buscar. Se quiserem a minha eliminação, quem chega primeiro é o X-9. Depois pode vir um mercenário, ou uns agentes de aluguel. O Donald não está achando que vai me proteger de um exército.

— O X-9 já chegou... — murmurou tio Benjamin do chão, ainda de olhos fechados, como se falasse dormindo. — É o corretor de imóveis.

Carolina deu um sorriso de alívio, ajeitou a almofada que escorava a cabeça do ferido e deu-lhe um beijo na testa, fazendo-o abrir os olhos.

— O corretor estava de blazer, minha filha?

Ela reagiu intrigada:

— Como o senhor sabe?

— Imaginei. Esse cara não é daqui. Ninguém usa blazer na região. É típico desses arapongas tentarem se fantasiar de gente séria.

— Mas ele me mostrou o cartão de corretor. Será que era falso?

— Pode ser verdadeiro. Às vezes, a verdade é um bom disfarce.

Juscelino foi checar o terreno e encontrou o homem andando de bicicleta com cara de distraído.

Tio Benjamin abasteceu de uísque seu novo copo e o de Lacerda, com quem iniciou uma conversa sobre espionagem no caso Watergate, que derrubara o presidente Nixon três anos antes.

Carolina foi ao bar da Marilyn Monroe.

A noite fria da primavera de 1977 na Serra do Mar tinha afugentado a clientela. A balconista estava fechando as portas quando a visita chegou. Pelo tempo que costumavam ficar de papo e pelo pouco consumo alcoólico, Marilyn dizia que Carolina não era freguesa, era visitante. Recebeu-a dizendo que não ficava bem bater a porta na cara das visitas.

A solução foi fechar o bar com ela dentro. Desvirou duas cadeiras que já estavam em cima da mesa para a faxina e serviu duas doses de licor.

O assunto era o corretor de imóveis. Sim, ele já tinha estado no bar. E perguntara sobre a chácara abandonada. Depois voltou dizendo que vira movimento na casa, querendo saber quem estava morando lá.

— Carolina, esse cara é bisbilhoteiro. Nunca tinha visto por aqui. Parece que veio tentar fazer negócio mesmo, mas tá estranho.

— Por quê?

— Ele disse que veio pra cá porque o mercado no Rio "anda muito ruim". Não é o que eu ouço por aí. Acho que esse cara se enrolou no Rio.

— Te conheço há pouco tempo, mas confio em você. Nós temos uma pessoa escondida lá em casa. Nunca vou poder te dizer quem é. Esse corretor foi muito invasivo comigo. Parecia que ele sabia de alguma coisa.

— Talvez ele saiba.

— Por que você diz isso?

— É olhudo, esse Marcius Bustamante. Outro dia o Juscelino tava falando naquele orelhão ali na frente e ele ficou parado ao lado, certamente ouvindo a conversa. Depois o Juscelino entrou no táxi e o Marcius correu pro Opalão dele. Não duvido que tenha seguido até a chácara.

— Será?! Bom, se ele ouviu conversa do Juscelino e descobriu onde a gente mora pode ter ficado espreitando. Não quero nem pensar. Se ele fez isso, pode ter visto o Lacerd...

— Visto quem?

— Ninguém. Me confundi. Minha cabeça tá péssima.

— A pessoa que vocês estão escondendo se chama Lacerda?

— Não.

— Seria muita coincidência. Esse fanfarrão outro dia bebeu demais aqui e começou a dizer que o Carlos Lacerda pode não ter morrido. Ninguém se interessou pela teoria, mas ele continuou falando. Disse que o Lacerda estaria escondido. Não dei papo. Até porque não me interessa. Nunca fui com a cara do Lacerda.

Carolina não respondeu. Disse que não estava se sentindo bem, talvez tivesse bebido o licor muito rápido (na verdade, só tinha dado um gole). Foi ficando pálida. Marilyn juntou duas mesas improvisando uma maca e a colocou deitada, já jogando-lhe uma pitada de sal na língua.

Quando a cor começou a voltar ao seu rosto, a balconista encerrou a conversa:

— Já entendi. Não precisa dizer mais nada. Gosto de você e tenho que te dizer uma coisa: você tá com um problema grande.

— Dois.

Ainda deitada nas mesas do bar, Carolina contou que além de esconder Carlos Lacerda, tinha se apaixonado por Juscelino — cujo casamento estava abalado por uma decisão da mãe dele de afastá-lo da convivência da família.

— A mãe dele sabe de você e do Lacerda?

— Não. De nenhum dos dois. Mas pressente tudo.

— Ela não aceitaria?

— De jeito nenhum. É muito rigorosa. E tem ódio mortal do Lacerda.

— Pelo menos tem bom gosto.

— O que você tem contra o Lacerda?

— Moralista. Não gosto de moralista.

— Se você conhecesse pessoalmente talvez mudasse de opinião.

— Não, obrigada.

— Tudo bem. Eu mal conheço também. Nunca me liguei em política. Vim de Juiz de Fora pro Rio porque gosto de ver o mar. Aí o Elvis Presley morreu e eu vim parar em Petrópolis.

— O que tem uma coisa a ver com a outra?

— Nada. Pelo menos fui coerente, porque na minha vida nada tem a ver com nada.

Marilyn riu:

— Ter a ver é relativo. Já namorei homem, já namorei mulher, já namorei os dois ao mesmo tempo. Gosto de namorar. Agora tô sozinha, e acho que é a minha melhor fase. Nada a ver com nada também, né?

— É diferente. Você tem o seu lugar, o seu trabalho. Eu vim pra cá ajudar a organizar um concurso de Elvis Presley sem ganhar um tostão e me apaixonei, ou acho que me apaixonei, por um Elvis que nem era candidato a Elvis. Aí fui conhecer um político morto que não tinha morrido.

— Dizem que o Elvis também não morreu. Vai ver você se apaixonou pelo Elvis certo.

Carolina gargalhou.

— Canta mal, mas tem coração. Foi ele que deu fuga ao Lacerda. Quando me conheceu tinha ido comemorar o campeonato do Vasco e a decisão de se afastar do Lacerda, que ninguém merece ficar meses entrando e saindo de um esconderijo sem dever nada a ninguém. Aí foi parar por engano num concurso de Elvis. No final, nem comemorou o título do Vasco, nem se livrou do Lacerda.

— Por quê?

— Nem sei direito. Eu tinha dado muita bebida pra ele. Aí falei que gostava do Aterro do Flamengo e acho que nessa hora ele descobriu que gostava do Lacerda.

— Um Elvis vascaíno no Aterro do Flamengo. Já temos o título do seu filme.

As duas gargalharam de novo e serviram mais uma dose de licor. Mas a descontração virou tensão com uma súbita sequência de batidas na porta do bar.

Depois de uma pausa, novas batidas. Sem sair do lugar, Marilyn gritou que o estabelecimento estava fechado. Mas o visitante era insistente:

— Abre pra mim! Por que só vocês podem se divertir?

Carolina teve um calafrio ao ouvir aquela voz. Marilyn também reconheceu e resolveu ir falar com o impertinente. Carolina se levantou e parou na frente dela:

— Pelo amor de Deus, você não vai abrir essa porta.

— Calma, garota. Trabalho com público há muito tempo. Vou resolver isso.

A outra continuou implorando que a porta não fosse aberta, mas foi.

— Uau! O que duas moças tão belas estão fazendo sozinhas a essa hora num bar fechado? Se escondendo de alguém?

— Com todo o respeito, sr. Bustamante, isso não é da sua conta — cortou a balconista. — Venha amanhã no horário de funcionamento normal e será muito bem recebido.

— Tenho uma ideia melhor: vamos sair do meio dessas cadeiras empilhadas, que é baixo astral, e vamos pra minha pousada! Meu Opala tá aqui na porta. A gente termina essa conversa de um jeito mais confortável. Que tal? E lá o licor não é batizado...

A risadinha debochada do corretor teve o poder de tirar Carolina do silêncio:

— Vai indo que a gente já vai, caro corretor.

— Você parecia mais encabulada lá na sua chácara, garota. E já que você me convidou pra ir indo na frente, vou puxar uma cadeira. Primeiro as damas, certo?

— Senhor, por favor: deixe essa cadeira aí. O bar está fechado — reagiu Marilyn.

— Acho que vocês não estão entendendo: eu sou Marcius Bustamante, corretor e consultor do ramo imobiliário há três décadas. Tenho influência na elite. Onde eu piso tem tapete vermelho. Vocês não têm obrigação de saber disso aqui nesse buraco em que vivem, mas não me custa nada tirá-las da ignorância. Agora sejam boazinhas e me sirvam um conhaque. Tenho certeza de que vocês não querem que eu reclame com o dono do estabelecimento.

Marilyn foi até a pia e voltou empunhando uma faca:

— Se manda, babaca! Vai intimidar a puta que te pariu! E não espera eu falar de novo.

— Baixa essa faca que você pode machucar alguém — rosnou Bustamante, desarmando pela primeira vez o sorrisinho debochado.

A balconista caminhou na direção do corretor com a faca em riste. Carolina pulou no meio dos dois e gritou:

— Sai daqui, infeliz! O que você quer? Provocar uma tragédia?

Marcius recolocou na cara o sorriso cínico, se levantou e caminhou em direção à porta. Antes de sair, fez questão de dar a última palavra:

— Vocês não sabem com quem estão se metendo. Essa malcriação vai custar caro.

No que o invasor bateu a porta, a funcionária passou a chave e decretou que as duas dormiriam no bar aquela noite. Carolina reagiu:

— Impossível. Se eu ficar aqui o pessoal na chácara vai achar que eu sumi, ou que me pegaram.

— Você prefere que te peguem sem seus amigos saberem?

— Quem me pegaria? O Bustamante? Você acha que ele tem capangas aqui por perto?

— Não sei. Acho que não. A armadilha desse cara é outra. Mas já saquei que tem problema com álcool. Sai de si sem ninguém notar, aí é capaz de tudo.

— Não acho que ele estivesse bêbado.

— Pois é, não parece. Mas estava. Quando tá sóbrio ele banca o educado. Jamais forçaria a entrada aqui no bar. Deve ter bebido bem. Peguei a faca porque vi no olho dele que ia querer coisa com a gente. E esse tipo engomadinho que vira bicho quando bebe, fica vingativo também.

— Você acha que ele pode voltar armado?

— Sei lá. Mas não pagaria pra ver.

Carolina se viu obrigada a concordar com a análise de risco e foi conhecer os aposentos no fundo do bar onde passaria a noite. Era um pequeno quarto sem janela atrás do caixa, com uma cama de viúvo e mais nada.

— Só tem uma cama?

— Desculpe. Hotelaria não é o nosso forte — tentou descontrair Marilyn.

Carolina deu meia-volta e disse que tinha mudado de ideia. Estava disposta a correr o risco da tocaia.

— Tudo bem. Mas se você acha que tá escapando de uma tocaia amorosa, se enganou — devolveu a anfitriã. — Falei que já namorei mulher, mas não estou a fim de você.

A visitante deu mais meia-volta e caiu na cama com Marilyn Monroe.

* * *

Graças ao seu jatinho particular, Donald Kalmar Jr. chegou a Petrópolis 24 horas após o alerta cifrado de Juscelino — resgatado pelo taxista no Galeão. Sua primeira providência depois de ouvir o relato completo sobre a aproximação suspeita do corretor de imóveis foi determinar que as luzes da chácara voltassem a ser acesas.

Por um motivo simples: se o local tinha sido descoberto, não adiantava ficar fingindo que não tinha ninguém lá — até porque qualquer fuga para outro esconderijo, àquela altura, estaria vigiada também. A prioridade era entender quem era o X-9.

Depois do suspense noturno, Carolina tinha reaparecido de manhã cedo na chácara explicando o motivo do seu sumiço — o incidente bizarro com o corretor e provável X-9. Fizera então um pedido inusitado ao grupo: que a balconista do bar pudesse participar da reunião de emergência com Donald.

Quando chegou da Flórida à noite, o empresário quis saber quem era a tal balconista escalada para participar de um encontro tão sigiloso.

— É a Marilyn Monroe.

A resposta insólita vinda da figura trôpega do tio Benjamin, que Donald estava vendo pela primeira vez, deu ao empresário a sensação de que o amigo Lacerda estava perdendo o controle de uma situação já suficientemente descontrolada. Ainda mais porque quem advogava com mais fervor pela participação da tal Marilyn na reunião era Carolina — cujo jeito atabalhoado e sem sofisticação não lhe inspirava confiança.

O empresário já sabia que Carolina tinha sido incorporada ao esconderijo para fazer fachada. Mas o primeiro contato pessoal com ela, em meio a uma missão tão complicada, o fez sentir como se estivesse iniciando uma viagem à Lua de bicicleta.

Donald encarou Lacerda com gravidade. Se os seus olhos falassem, diriam: Carlos Frederico Werneck de Lacerda, jornalista, deputado federal, governador, fundador da Tribuna da Imprensa e da Nova Fronteira, criador da Frente Ampla, livre-se imediatamente desse bloco carnavalesco, esqueça Marilyn Monroe, Juscelino Kubitschek, a havaiana de Juiz de Fora, o ébrio de Duque de Caxias e grande elenco melancólico, concentre-se na sua missão de resgatar a democracia brasileira — que não é uma agremiação de fundo de quintal.

Após a mensagem dos olhos, veio a da boca — suavizada pelas boas maneiras do lorde:

— Por questão de segurança, acho que não devemos expandir ainda mais o número de participantes da reunião.

Era o veto não muito sutil à presença da balconista. E, de quebra, uma crítica à participação de todos os outros — convidados a se sentir excessivos no trecho "expandir ainda mais".

Juscelino não disse nada — aguardando como sempre o comando de Lacerda. Tio Benjamin nem ouviu a objeção do empresário americano. Estava concentrado na aplicação de gelo em seu ferimento, grudando o copo de uísque *on the rocks* na testa. Carolina não discutiu o veto, apenas informou:

— Estive à tarde com a Marilyn. Ela descobriu um golpe do Marcius Bustamante num negócio milionário na Barra da Tijuca.

Donald engoliu em seco, aproveitando para engolir também suas palavras anteriores, e teve de concordar que a falsa loira de Hollywood sem filtro deveria estar na reunião de emergência.

A chegada da balconista na chácara foi desconcertante. Antes de qualquer apresentação, tio Benjamin se antecipou:

— Olha aí, seu Carlos. Marilyn Monroe em pessoa! Será que o senhor poderia pagar a minha dose de cachaça? Eu disse a ela que sou bom pagador.

Juscelino teve vontade de dizer que tinha um compromisso inadiável em Marte com passagem só de ida. Mas contornou a vergonha — ou falou sem contorná-la mesmo:

— Tio Benjamin, mais uma dessas e eu te devolvo pra dona Diamantina. Quem paga suas contas sou eu.

— Calma, sobrinho. Não precisa esse orgulho todo. Você paga minhas contas e o seu Carlos paga as suas, não é isso? Então tá tudo em casa.

Lacerda disse que estava tudo bem, e para acabar com qualquer constrangimento enfiou a mão no bolso e se dirigiu à balconista:

— Muito prazer. Seja bem-vinda. Aqui está o seu pagamento.

A mão do ex-governador ficou estendida no ar. Marilyn não pegou o dinheiro, nem respondeu ao cumprimento. Dessa vez, foi Carolina quem reagiu ao constrangimento, chamando a balconista pelo seu nome original:

— Marilinha, respeito com o Carlos Lacerda.

A resposta veio fria:

— Eu tô aqui pra colaborar. E sei guardar segredo. Meu respeito vai até aí. Não sou obrigada a aceitar dinheiro de um cara de quem eu não gosto.

— Eu gosto de você.

A réplica surpreendente veio de Donald Kalmar Jr., em meio ao silêncio geral. O empresário se aproximou da balconista e prosseguiu, cara a cara com ela:

— Eu sou Donald. Muito prazer. Gostei da sua franqueza. Você deve ser uma pessoa de princípios.

Lacerda não disfarçou sua irritação com a atitude do amigo, complacente com a hostilidade da recém-chegada contra ele. Mas Donald só tinha olhos para a falsa loira. E continuou:

— Seja bem-vinda à nossa reunião. Estamos numa situação de emergência e...

Foi cortado pela faca sempre afiada de Marilyn:

— Não gosto de reunião. Não vou ficar. Vim aqui só pra dizer o seguinte: esse Marcius Bustamante deu uma volta em gente graúda no Rio de Janeiro. Só que ninguém sabe que foi ele. Tem um laranja que se queimou por ele.

— Tem o nome do laranja? — interrompeu Donald, deixando as mesuras de lado.

— Tenho o nome da empresa. Barra 20. Quem me passou foi um rico aqui do Rocio que se finge de pobre lá no meu bar.

— Barra 20? Nunca ouvi falar. Empresa de quê? Construção?

— Incorporação. Venderam 20 apartamentos na planta e nunca botaram um tijolo. Tá lá na Barra até hoje o canteiro fantasma. Só tem o tapume.

— Posso conversar com esse pobre homem rico?

— Não.

— Por quê?

— Como eu já disse, sei guardar segredo.

— Como ele sabe que a Barra 20 é laranja do Marcius Bustamante?

— Não sei.

— Aí fica difícil.

— Tudo é difícil.

— É. Tem razão. Vou tentar levantar mais informações dessa Barra 20.

— Boa sorte.

A visitante se retirou sem falar com ninguém. Com agilidade improvável, tio Benjamin passou à frente dela e abriu a porta, galante:

— Volte sempre, Marilyn Monroe.

A falsa loira respondeu com um sorriso verdadeiro:

— Ok, interesseiro.

Ao primeiro raio de sol, Donald embarcou no táxi de Juscelino rumo ao seu escritório no Centro do Rio. De lá faria as conexões telefônicas para tentar rastrear a falcatrua milionária do estranho Mr. Bustamante.

— O senhor acha que ele já sabe do doutor Lacerda? — perguntou o taxista na descida da serra.

— Acho que sim.

— Será que já denunciou às autoridades?

— Acho que não. É golpista. Salvo engano, primeiro vai tentar chantagear.

— O que vai adiantar descobrirmos o golpe dele? Se ele for preso, aí é que entrega o doutor Lacerda mesmo.

— Não quero prender. Quero chantagear.

Juscelino achou a estratégia inteligente, mas arriscada. Donald replicou que, na situação em que se encontravam — protegendo um clandestino político que oficialmente estava morto — correr riscos era o mínimo que poderiam fazer.

— Eu tinha decidido não correr mais risco — suspirou o motorista. — Aí apareceu a Carolina.

O empresário não disse nada. Juscelino continuou mesmo assim:

— Vou deixar o senhor no Centro e vou pra Caxias. Só posso ver minha mulher e meus filhos uma vez por mês.

— Por quê? — desembuchou o empresário, intrigado.

— Decisão da minha mãe. Como já lhe contei, ela é braba.

— Mas ela descobriu que você está com o Lacerda?

— Se ela tivesse descoberto isso eu não tinha sido expulso de casa. Tinha sido esquartejado.

— Dona Diamantina é como a Marilyn.

— É. As duas sabem usar uma faca.
— E detestam o Lacerda.
— O senhor gostou da Marilyn.
— Ela é deselegante, quase vulgar. Muito decidida. Nunca me interessei por mulher vulgar.
— Para tudo tem a primeira vez.
— Sou bem casado.
— Sua mulher sabe que o senhor está escondendo o Lacerda?
— Claro que não.
— Pois é. A minha também não. Um segredo leva a outro.
— Você está com a Carolina?
— Não.
— Não?
— Quer dizer... Estou. Estou, mas não estou.
— Entendi.
— O senhor entendeu? Eu não.
— Às vezes, não é pra entender mesmo.
— Ah, tá. Fico mais tranquilo.
— Mas afinal por que a sua mãe te expulsou?
— Ela achou um colar de havaiana na minha mochila.
— Só por isso?
— Tinha o nome da Carolina no colar. Eu nunca tinha notado.
— Minha mulher diz que homem não nota umas coisas essenciais.
— Pois é.
— E agora? Vai se separar da mulher? Ou tentar reconquistar?
— O problema é reconquistar minha mãe.
— Cuidado.
— Pode deixar. Se ela estiver com faca na cozinha nem entro em casa.
— Não, falei cuidado com esse carro aí atrás de nós. Está muito colado.

Juscelino constatou no retrovisor o alerta de Donald e mudou para a faixa da direita, dando passagem ao apressado. Mas ele não ultrapassou. Saiu também da faixa da esquerda e continuou grudado. O taxista acelerou sua

Brasília, para tentar se desgrudar do outro, mas o carro dele era mais veloz — um Opala — e permaneceu quase tocando o para-choque do táxi.

Na altura do mirante Belvedere, numa curva longa, Juscelino resolveu tirar inteiramente o pé do acelerador, para obrigar o Opala a ultrapassá-lo. Mas ele não só permaneceu atrás, como acelerou forte. A batida fez o táxi se desgovernar, sair da pista e despencar no barranco.

PERDI MEUS ÓCULOS

As galerias lotadas do Palácio Pedro Ernesto foram ao delírio com a chegada de Leonel Brizola. Quase dois anos após terminar seu mandato de governador do Rio e a um ano das eleições presidenciais — as primeiras em quase trinta anos — Brizola era forte candidato a comandar a República. E estava em casa. O palácio onde funcionava a Câmara de Vereadores ficava no coração da Cinelândia, também conhecida como Brizolândia, naquele momento tomada por uma multidão de vermelho em apoio ao seu líder.

Camisa social azul-clara grudada de suor, atravessando lentamente o plenário lotado que anulava os efeitos do ar-condicionado do Palácio no ensolarado outubro carioca, Brizola esbanjava carisma cumprimentando um por um dos simpatizantes interpostos no caminho até a mesa diretora, onde aconteceria o debate com Carlos Lacerda — que estava atrasado.

Sendo avisado que o oponente ainda não chegara, o líder do "socialismo moreno" aproveitou para ralentar ainda mais sua travessia pelo plenário, capitalizando o coro ensurdecedor que dava ao Palácio Pedro Ernesto seu dia de Maracanã:

"Um, dois, três/ quatro, cinco, mil/ queremos o Brizola presidente do Brasil!"

Espremidos num canto do ambiente, próximo à mesa diretora, Gregório Fortunato e o Aspone suavam mais que Brizola. Suor frio. Sob a vigilância tensa do corpulento líder da Brizolândia, aguardavam a chegada de Lacerda, que lhes prometera participar do grande debate. Se ele não aparecesse, o despachante e o *boy* sabiam que estavam perdidos.

O acordo com a cúpula da militância brizolista, que lhes permitira sair sem nem um safanão da arapuca na Cinelândia, se baseava na promessa de trazer o "inimigo" ao território vermelho. Agora era tarde para pensarem em se exilar no Rocio. Com o debate marcado para as 18 horas, quando viram o relógio do plenário bater 18h30 começaram a se perguntar se fora uma decisão segura confiar em tio Benjamin, o fiador do compromisso.

O encontro no bar da Marilyn Monroe tinha sido convincente. O que a princípio parecia ser o delírio de um bêbado falastrão, com a progressão da conversa foi ganhando contornos de verossimilhança. O testemunho da própria Marilyn parecia inequívoco, em sua perplexidade ante o impulso de Lacerda de se mandar para Brasília e revelar-se ao país em plena promulgação da nova Constituição Federal. Tinha ficado claro que a moça do bar confirmava tudo que Benjamin dizia sobre clandestinidade etc. Não era possível que estivessem ensaiados numa grande mentira.

Na chegada esbaforida de Juscelino ao bar, o despachante e o *boy* ouviram menções espontâneas dos presentes a Carlos Lacerda e sua missão na capital. Tratava-se de uma situação pesada, envolvendo a procura de uma pessoa desaparecida — Carolina — e ali o Aspone e Gregório Fortunato tiveram a certeza final de que não estavam entre farsantes. Esperaram o momento adequado e pediram ao tio Benjamin para sondar Lacerda sobre o debate com Brizola. Dois dias depois, no mesmo bar, receberam a resposta positiva. Não tinha como dar errado.

Com o relógio do Palácio batendo 19 horas, concluíram que tinha.

* * *

Juscelino ficou menos de cinco minutos no bar. Vendo que Marilyn não ia entregar o paradeiro de Carolina, que sumira sem lhe dizer nada, foi para a chácara tentar encontrar alguma pista. Pelo menos a balconista parecia saber onde ela estava, o que sugeria algum grau de controle da situação. Mas a notícia de que entre os pertences da vítima assassinada num rio da região havia um bilhete cifrado para uma "Carolina" era perturbadora.

No caminho entre o bar e a chácara, dirigindo um carro alugado após largar seu táxi em Brasília, Juscelino ligou o rádio. Pegou pelo meio uma notícia sobre o brutal crime do Rocio. Só conseguiu ouvir que a vítima tinha sido identificada: era um corretor de imóveis.

Entrou correndo na chácara e encontrou um recado rabiscado num jornal dobrado sobre a sua mesa de cabeceira: "Elvis, o Marcius Bustamante apareceu bêbado na beira do rio e tentou me estuprar. Eu não deixei".

Com o coração aos pulos, Juscelino releu seguidamente os garranchos até conseguir acreditar que tinha nas mãos a confirmação cabal: Carolina matara Bustamante.

Procurou a caixa de fósforos que sempre ficava na cabeceira dela junto ao maço de cigarros, mas não estava lá. Foi até os aposentos de Lacerda no fundo da chácara, mas os fósforos que acendiam o cachimbo deviam ter ido para Brasília. Picou então em pedaços minúsculos o canto de folha de jornal onde Carolina escrevera à caneta e abriu a tampa do vaso sanitário. Aí imaginou os fragmentos aparecendo no esgoto e sendo remontados por algum perito.

Fechou a privada e abriu a boca. Mastigou com vontade o jornal picotado, até virar uma pasta. Engoliu de uma vez, como se tomasse um tranquilizante.

Fora o bilhete, Carolina não deixara pista alguma sobre o seu destino. Veio então à mente do taxista a noite em que ela dormira num quartinho dentro do bar da Marilyn, após o cerco de Marcius Bustamante. Com a súbita certeza de que ela estaria escondida lá, pulou de volta no carro alugado. Mas nem girou a chave da ignição. A certeza se desfez em segundos. Claro que Carolina não escolheria como esconderijo um bar frequentado por sua vítima.

Deixou a cabeça pender sobre o volante e chorou. Ficou por um instante entregue às lágrimas, estático. Até ser interrompido por batidas na janela fechada do carro. Ergueu os olhos assustado e deu com a figura do tio Benjamin quase colada no vidro do carona.

— Tá chorando, sobrinho? Abre essa porta.

O taxista destravou o pino. Depois de algumas tentativas frustradas, o tio conseguiu coordenar todos os movimentos necessários para entrar no carro.

Ficaram os dois sentados lado a lado em silêncio, agora com o aroma de cachaça dominando o ambiente. Foi Benjamin quem quebrou a inércia:

— Liga esse carro. Vamos à luta.

— Luta de quê? Não tenho a menor ideia de onde a Carolina tá.

— Não vamos procurar a Carolina. Você tem um encontro mais urgente.

— Com quem, tio Benjamin? Bebeu demais hoje.

— Bebi pouco. Você vai encontrar sua mãe. Toca pra Duque de Caxias.

Dona Diamantina tinha reprogramado sua vida sem o filho. Cumprira a promessa, feita onze anos antes, de sustentar a casa — o marido (que contribuía com um salário mínimo da aposentadoria), a nora e os três netos — lavando roupa para fora. Juscelino continuou autorizado a visitar a família uma vez por mês. Ao final do primeiro ano, corroído pela culpa, resolveu contar tudo à sua mulher, Sarah.

Contou não só sobre Carolina, como sobre Lacerda. Disse que gostaria que tudo fosse diferente, mas não era. Apesar do seu amor pela mulher e pelos filhos, tinha sido tragado por uma situação surrealista — da qual tentara se desvencilhar mais de uma vez, sem conseguir. Compartilhou com Sarah o enigma: nunca se ligara em política, e de repente estava ligado pessoalmente a um político, talvez um dos mais problemáticos de todos. Não era pelo dinheiro. Ou não só pelo dinheiro.

Sarah respondeu que as confusões de Juscelino eram só dele. Continuaria morando com a sogra, comunicando que agora passava a ser ex-sogra. Era em dona Diamantina que ela confiava para dar segurança aos filhos pequenos. Se comprometeu a nunca comentar com ninguém sobre a clandestinidade de Lacerda — e sobre o reforço orçamentário que o agora ex-marido lhe pedia que aceitasse, apesar da declaração da mãe de que não entraria um centavo dele na sua casa.

Outra concessão sigilosa de Sarah foi permitir que Juscelino encontrasse os filhos mais de uma vez por mês fora de casa, sem dona Diamantina saber. Em geral, ele escolhia os dias de jogos do Vasco e levava os três meninos ao Maracanã ou a São Januário — e esse foi seu desafogo por toda a década de clandestinidade.

Se no título de 1977 contra o Flamengo o taxista estava enfurnado com Lacerda no esconderijo do Rocio, a conquista de 1988, também contra o Flamengo, foi assistida no Maracanã ao lado dos filhos, já adolescentes crescidos. Em vez de Roberto Dinamite, Romário comandava o time campeão. Lacerda dizia que o jovem atacante vascaíno era baixo demais para centroavante e não ia durar duas temporadas.

Juscelino voltou para Petrópolis com a faixa de campeão carioca no peito, mas o ex-governador não se rendeu: disse que o título tinha vindo com o gol de um lateral reserva chamado Cocada, e que o artilheiro da competição tinha sido o novo craque rubro-negro Bebeto, "muito melhor que esse Romário". Foi a maior discussão entre Lacerda e Juscelino antes da Operação Brasília.

Agora, menos de quatro meses depois, distante do ex-governador, do seu táxi e de Carolina, sacudido por uma entrevista bombástica e por um crime, Juscelino obedecia ao seu tio alcoólatra como a um oráculo: ligou o carro e partiu serra abaixo para enfrentar a mãe.

* * *

— Saudade do Juscelino!

Com esse brado, o passageiro desembarcou do táxi batendo a porta com força e saiu andando no meio do trânsito sem olhar para trás. Mas ainda ouviu a resposta do motorista: "Prefiro o Brizola!".

A saudade era do Juscelino taxista, que na sua Brasília 73 teria feito em metade do tempo o trajeto cumprido pelo condutor brizolista. O passageiro era Carlos Lacerda, o relógio na fachada do Palácio Pedro Ernesto marcava 19h15 e do lado de dentro o Aspone e o *office boy* viam sua pele valendo menos que moeda de 1 cruzado, o dinheiro da época.

Depois de andar entre os carros na Avenida Rio Branco, Lacerda passou a atravessar sozinho a multidão concentrada na Cinelândia. Ninguém notou que aquele senhor apressado de 74 anos era "o inimigo" em pessoa. Mesmo assim, veio a primeira agressão, involuntária.

Já próximo à escadaria do Palácio, com o movimento mais arrojado de uma das dezenas de bandeiras partidárias e sindicais que coloriam a praça, o rosto do ex-governador foi lambido pelo pano esvoaçante. Seus óculos voaram junto.

Mesmo com a visão embaçada, Lacerda conseguiu enxergar o local onde os óculos tinham caído. Se projetou com rapidez na direção deles, esgueirando-se entre os corpos aglomerados que transformavam cada metro quadrado numa festa particular. Se abaixou para resgatá-los, mas uma sola de sapato chegou antes dele. O pisão foi fatal: armação retorcida, lentes esmigalhadas, perda total.

O ex-governador raramente era visto sem óculos, que praticamente só tirava para dormir — ou nem isso, se o sono chegasse rápido demais. Era parte da sua identidade. O problema, portanto, não era apenas ver. Era ser visto.

Conseguiu galgar a escadaria e chegar à entrada do Palácio Pedro Ernesto. Todo amarrotado, onze anos mais velho e sem óculos, não tinha chance de ser reconhecido por ninguém — mesmo sendo esperado para o grande debate. Até ali isso tinha sido seu escudo. Dali em diante, seria o seu problema.

Com tanta gente espremida na frente do Palácio, a segurança não piscava. No que o velho desgrenhado de gravata torta pediu passagem com pressa, já se insinuando porta adentro, foi fisgado pelo colarinho e arrastado de volta com uma energia que quase lhe deu o mesmo destino dos seus óculos.

— Vai aonde, vagabundo?

— Respeito com o ex-governador da Guanabara, rapaz!

— Ex-governador? Ok. Vai pra casa tomar um banho que passa.

Lacerda enfiou a mão no bolso para mostrar sua identidade, mas a carteira não estava mais lá. A tinha pego para pagar o táxi e na correria recolocara de qualquer jeito. Se depois ela caiu ou foi caída, não fazia mais diferença. E o segurança estava com uma paciência decrescente para a sua insistência. Talvez fosse o caso de dar meia-volta antes de levar um tabefe. Estava pensando nisso quando foi ao chão.

A trombada veio de um cordão humano bastante musculoso que avançava protegendo a chegada de algum figurão. Sem óculos, Lacerda não conseguia ver quem era. Mas as saudações do público tiraram sua dúvida: era o antropólogo Darcy Ribeiro, ex-vice-governador do Rio na gestão Brizola, ex-ministro de João Goulart, enfim, seu adversário político de longa data.

— Darcy! Alô, Darcy! Sou eu! Carlos Lacerda!

Por mais que se esgoelasse, a gritaria geral abafava suas tentativas de ser notado pelo oponente. Numa última cartada, Lacerda tirou do bolso do paletó uma folha de jornal, que guardara com a Coluna do Castello, e amassou com força. Caprichou na mira e arremessou a bolinha de papel. Acertou na testa de Darcy.

Todos olharam em sua direção, e no que um dos seguranças partiu para imobilizá-lo, seus olhos se cruzaram com os do antropólogo. Era a chance:

— Sou eu, Darcy! Lacerda! Vim debater com o Brizola!

Dessa vez, Darcy Ribeiro ouviu. Desviou sua caminhada em direção ao homem que o chamava e parou diante dele, com expressão de sobressalto:

— Você é o Lacerda?

— Claro! Não tá me reconhecendo?

— Tá diferente...

— Perdi meus óculos.

— Ah, sinto muito.

— Obrigado. Já estava precisando trocar mesmo.

— A voz está mais rouca.

— Estou onze anos mais velho.

— Certo. Quem foi o mais novo ministro da Casa Civil?

— Você. Nomeado pelo Jango em 1963.

— Soltem ele! É o Lacerda! Conduzam o governador Carlos Lacerda para dentro do Palácio!

No plenário, Brizola finalmente conseguira chegar à mesa diretora e postar-se diante do seu microfone. Fez uma primeira saudação aos presentes, provocando mais cinco minutos de aplausos, gritos e cânticos de exaltação à sua candidatura presidencial. Lacerda adentrou o ambiente no exato momento em que seu oponente retomava a palavra, agradecendo as manifestações efusivas e iniciando um breve discurso:

— Me convidaram para um debate. Me avisaram que seria um debate diferente. Respondi: "Debate é debate. Pra mim não tem diferença. Debato com qualquer um". Aí me explicaram melhor: seria um debate com Carlos Lacerda. CARLOS LACERDA, senhoras e senhores! Respondi: "Bem, então não é um convite para um debate diferente. É um convite para o túnel do tempo!".

As galerias explodiram numa retumbante gargalhada coletiva. Brizola prosseguiu:

— O Túnel Rebouças já é longo. Imagina o túnel do tempo. Que mania de túnel tem este Lacerda! Isso é um homem ou um tatu?

Nova risada estrondosa no recinto. O orador assumiu uma expressão mais fechada:

— Li alguns dias atrás na Coluna do Castello que Lacerda não morreu. Simplesmente isto: não morreu. Estava escondido. Passou onze anos escondido. E agora reaparece tranquilamente, dando entrevista, dando pitaco sobre tudo, esculhambando a Constituição Cidadã! Como pode uma coisa dessas? O verdadeiro já era aquela tristeza. Agora me aparece essa cópia sofrível. Tão sofrível que nem teve coragem de vir aqui hoje. Deve ter se arrependido do truque. Sinceramente: está mais do que na hora de o Brasil parar de acreditar em conto de fadas burguês.

Foi interrompido pelos aplausos, que também eram para Darcy Ribeiro. O ex-vice-governador chegava naquele momento à mesa da Câmara. Depois de um rápido aceno de agradecimento ao público, falou alguma coisa no ouvido de Brizola — cuja expressão se transformou imediatamente:

— Chegou? Como assim, chegou? Quem chegou?

Darcy puxou Brizola para longe do microfone, para que sua voz não continuasse audível pelo público. Explicou seu encontro casual com Lacerda na chegada ao Palácio e afiançou que era ele mesmo, só estava mais velho.

— Impossível! — reagiu Brizola. — Você acredita em curupira, Darcy.

— Bem, eu tive que botar o homem pra dentro. Estava quase apanhando dos seguranças. O que a gente faz?

Brizola pensou um pouco e comandou:

— Manda trazerem ele aqui.

Lacerda continuava no anonimato, vagando sozinho pelo plenário. Até que o Aspone o avistou e falou para Gregório Fortunato:

— É ele! Só pode ser ele!

Correram em sua direção, sempre sob o olhar vigilante do líder da Brizolândia, e se apresentaram como os autores do convite para o debate, feito através do tio Benjamin. Lacerda olhou o despachante e o *boy* de cima a baixo e não teve ânimo para dizer nada. A cena era só a confirmação final de que estava em maus lençóis.

Com o alívio estampado nos rostos, a dupla apresentou ao seu algoz o "inimigo" ilustre, devidamente trazido ao território vermelho, conforme prometido.

— Esse velho aí é o Lacerda? Vocês querem que eu acredite nisso?

— É ele, sim! Eu juro! — respondeu o Aspone. — Governador, o senhor se importa de mostrar um documento de identidade aqui pro nosso prezado anfitrião?

Lacerda disse que infelizmente tinha perdido a carteira. O líder da Brizolândia explodiu:

— Porra, tu tá achando que é mais malandro que eu?! Achou que era só pegar um vagabundo na praça e passar batido? Assim que acabar o discurso do doutor Brizola tu vai ver o que é bom pra tosse. Fica sentadinho aqui que eu...

Foi interrompido pela chegada de um assessor de Darcy Ribeiro, que se apresentou e cumpriu a ordem recebida:

— Doutor Carlos Lacerda, queira por favor me acompanhar à mesa diretora. Com licença, senhores.

O despachante, o *boy* e o militante assistiram estáticos à subida de Lacerda à mesa, sendo levado diretamente até onde estava Brizola, que ainda tinha Darcy ao seu lado. Lacerda estendeu a mão, sendo imediatamente correspondido:

— Como vai, Brizola?

— Bem, obrigado. O que houve com você?

— Caí na clandestinidade.

— Eu li a sua entrevista no *Jornal do Brasil* Não ficou claro se você foi ameaçado pelos militares. Não posso acreditar em qualquer coisa. E te vendo de perto... Você está muito diferente.

— Perdi meus óculos.

— Certo. O Lacerda não era mesmo muito mais que um par de óculos. E a Frente Ampla?

— Foi destroçada em Montevidéu e na Via Dutra. Eu avisei ao Jango quem eram os inimigos da democracia.

Brizola olhou para Darcy em silêncio. Se aquele Lacerda era falso, estava bem ensaiado. Foi ao microfone e fez o anúncio:

— Senhoras e senhores, acaba de chegar a esta mesa o meu oponente neste debate, o sr. Carlos Lacerda. Ou o homem que diz ser...

A vaia foi tão estrondosa que Brizola desistiu do complemento sobre a autenticidade duvidosa do adversário. Sua plateia não precisara do alerta sobre o possível farsante para detestá-lo com todas as forças. Então estava bom assim. Darcy Ribeiro fez uma abertura protocolar e passou a palavra a Lacerda, numa gentileza ao visitante. Ele agradeceu, cumprimentou a todos e se dirigiu ao próprio Darcy:

— Obrigado pela cordialidade, professor Darcy Ribeiro. Me permita apenas uma breve retificação: não sou visitante. Sou o primeiro governante eleito diretamente pelo povo desta terra. Me sinto em casa no glorioso Palácio Pedro Ernesto. Acompanhei da clandestinidade o retorno de Leonel Brizola do exílio e sua ascensão fenomenal em 1982 ao Palácio Guanabara. Somos aqui, portanto, dois governadores. Dois governadores que se encontram democraticamente para debater e permitir que o povo escolha as ideias que considera melhores para sua cidade, seu estado e seu país. Gostaria agora de ouvir o governador Brizola.

— Pois não, prezado Carlos Lacerda. Quero iniciar fazendo-lhe uma pergunta direta: o senhor se considera assassino de Getúlio Vargas?

* * *

Tio Benjamin falou para Juscelino parar o carro. Como não foi obedecido, saiu do tom molenga — como o sobrinho nunca tinha visto:

— Para agora! Tô mandando parar!

Sem ação, Juscelino nem acelerou, nem freou. Como o carro prosseguia em marcha lenta, tio Benjamin reuniu todas as suas forças e abriu a porta. O motorista freou bruscamente, temendo que o passageiro indócil se espatifasse na rua. Já sem cinto de segurança, tio Benjamin foi projetado para a frente, trombou no console e reabriu seu ferimento na cabeça.

Estático diante do sangramento abundante, Juscelino viu o tio se reaprumar e falar no tom mais doce do mundo:

— Sobrinho: quando eu falar pra parar, você para.

Em dois minutos, voltaria ao tom de general no front, agora não mais se dirigindo ao sobrinho.

A ordem súbita para parar o carro tinha sido dada porque estavam passando diante de um orelhão, em Duque de Caxias, e Benjamin teve o impulso de ligar para sua irmã Diamantina. Queria lhe dizer umas verdades, mas tinha que ser por telefone. Pessoalmente era perigoso. Os dois já tinham estado diante dela, aparecendo em casa de surpresa, conforme o plano. Foram postos para correr, de faca em punho: o dia de visita era a primeira segunda-feira de cada mês — e qualquer coisa fora disso era guerra.

Juscelino conseguira falar com Sarah e ativar o acordo clandestino, encontrando os filhos fora de casa. Era segunda-feira (a errada) e não tinha jogo do Vasco. Levou os meninos para São Januário e ficaram na arquibancada vendo o treino recreativo do time. Não conseguiu dar uma palavra. Estava transtornado com o crime e o sumiço de Carolina. Assunto proibido na Baixada.

Queria voltar para a Serra, mas tio Benjamin não deixava. Insistia, enigmaticamente, que se queria encontrar Carolina, era preciso primeiro encontrar sua mãe.

Dormiram numa pensão. No dia seguinte, o tio mandou recado através de Sarah: Juscelino precisava se encontrar com Diamantina. A resposta não demorou, e foi repetida literalmente pela mensageira: "Negativo. Manda esse malandro ir ciscar lá pras negas dele".

Foi aí que Juscelino perdeu a paciência, entrou no carro e avisou que estava voltando para Petrópolis. Tio Benjamin entrou junto, e na passagem pelo orelhão deu a brusca ordem de parada.

O sobrinho juntou uns guardanapos para tentar estancar o sangue na testa do tio, mas não deu tempo. Com a agilidade que não tinha, Benjamin pulou do carro e se enfiou no orelhão. Ligou a cobrar. Dona Diamantina atendeu e desligou na sua cara, logo após chamá-lo de folgado. O tio deu meia-volta e ordenou a Juscelino que comprasse fichas telefônicas. Nem a voz molenga, nem o andar cambaleante estavam lá. Benjamin pisava firme. O sobrinho obedeceu.

A nova ligação foi atendida pelo pai de Juscelino, que foi chamar a esposa. Ela gritou de longe que não ia atender ligação a cobrar de vagabundo. O marido respondeu que não era a cobrar. Ela foi atender achando que fosse outra pessoa, e Benjamin foi rápido no gatilho:

— Tina, você é mãe ou megera?

A pausa raríssima concedida pela irmã, dessa vez sem bater o telefone de imediato, foi a deixa para o prosseguimento da mensagem grave:

— Seu filho tá sofrendo. Seu filho é um homem bom. É um grande cara. Um dia você vai entender isso. E vai apodrecer de amargura.

O silêncio continuou do outro lado da linha, mas a ligação não caiu. Tio Benjamin manteve o dedo no gatilho:

— Quem é que não faz merda nessa vida? Só você, minha irmã. Você é de Diamantina. Um diamante! Eu também sou, mas o meu não brilha. Tô tranquilo aqui no escuro. E você tá cega de tanta luz. Nunca vai ver que o Juscelino tem uma missão. Ou acha que tem. Ou não acha que tem, mas cumpre. Sei lá. É um homem bom. Seu filho. Você é a grande referência dele. Abre essa porta, enquanto ele ainda sabe o caminho. O Juscelino vai se perder.

Dessa vez, quem desligou sem esperar resposta foi Benjamin. Bateu o telefone, voltou com passo firme para o carro e ordenou:

— Vamos pra casa.

Quem abriu a porta foi o pai de Juscelino. Entraram e ficaram de pé na pequena sala. Dona Diamantina veio da cozinha sem faca na mão. Disse ao marido que levasse Sarah e os netos para a quitanda. Tio Benjamin disse que iria junto. Quando todos saíram, ela mandou o filho se sentar. E se dirigiu a ele de pé:

— O que aconteceu?

Juscelino não sabia por onde começar. De repente se deu conta de que talvez nem tivesse nada a dizer, depois de tanto tempo de diálogo embargado. Teve vontade de desabafar sobre Carolina. A voz não saiu. Mas sua mãe estava olhando em seus olhos pela primeira vez em muitos anos. Isso o encorajava.

Respirou fundo e resolveu começar do começo, contando quem era o passageiro que invadiu seu táxi no estacionamento da Clínica São Vicente, na madrugada de 21 de maio de 1977, quando sua vida virou de cabeça para baixo. Pediu à mãe que se sentasse. Ela aceitou. Mas quando ele começou a falar, foi interrompido por batidas fortes na porta de entrada.

Diamantina não se alterou. Como se não houvesse alguém espancando a porta, continuou estática olhando para o filho. Ele se desconcertou:

— Quer que eu atenda a porta?

— Não. Pode falar.

Quando Juscelino pronunciou a primeira sílaba, as batidas na porta voltaram mais fortes, agora acompanhadas de gritos femininos:

— Diamantina! Abre essa porta! É urgente!

Era a vizinha da casa ao lado, reconhecida pela voz. Mas parecia haver uma voz masculina ao fundo. O jeito foi abrirem a porta.

A vizinha foi entrando com os olhos arregalados, um sorriso nervoso e um rádio de pilha na mão. Juscelino sentiu um arrepio na espinha ao reconhecer o dono da voz masculina que saía do rádio: Carlos Lacerda.

— É o Brizola! Diamantina, a rádio tá ao vivo com o Brizola! Você não pode perder!

Irritada por ter sido interrompida daquela forma estabanada, mas de fato interessada em todos os pronunciamentos de Leonel Brizola — ainda mais ao vivo —, dona Diamantina não repreendeu a vizinha pela invasão. Apenas observou que a fala que vinha do rádio não era de Brizola.

— É o adversário dele, menina! — replicou a vizinha. — O Brizola já falou e vai falar de novo! É um debate!

A visitante eufórica puxou uma cadeira e pousou o radinho no centro da mesa de jantar, tomando como certo que ia ouvir o debate com a amiga e o filho dela:

— Senta, gente! Tá só começando. Juscelino, há quanto tempo eu não te via por aqui.

Ele não conseguiu responder nada. Estava pálido, ouvindo a voz de Lacerda e sem coragem de olhar para a mãe. Foi ela quem falou:

— Quem é esse que tá debatendo com o Brizola? Parece que já ouvi essa voz.

— É um ex-governador. Acabaram de falar o nome dele, mas esqueci.

— Chagas Freitas?

— Não.

Torturado com o suspense, Juscelino não aguentou:

— É o Lacerda.

Os olhos de dona Diamantina brilharam como duas facas muito bem afiadas em direção ao filho. Ele baixou o rosto encarando o tampo da mesa — sentindo que as antenas sobrenaturais da mãe tinham captado algo naquele murmúrio "é o Lacerda". A vizinha confirmou:

— Ele mesmo. Parece que tava fugido. Fez que morreu pra se mandar e agora tá aí. É uma história esquisita. Eu não acredito. O Brizola já disse que também não acredita.

— E você, Juscelino?

— Eu, o quê?

— Você acredita?

— Em quê, mãe? Me distraí aqui.

Dona Diamantina já estava ficando com cara de quem ia à cozinha e não voltaria desarmada. Mas foi interrompida por Lacerda. Quando o ex-governador pronunciou "Getúlio Vargas" ela parou para ouvir. Era a parte final da resposta sobre se considerava a si próprio "assassino" de Vargas. Nessa hora, Lacerda subiu o tom e sua voz dominou a pequena sala da casa onde seu nome era palavrão:

— Concluindo, eu preferia que esse debate sadio e democrático não tivesse se iniciado com uma provocação. Uma provocação baixa. Como todos sabem, o sr. Getúlio Vargas pôs fim à própria vida dramaticamente. E foi o chefe da guarda getulista, Gregório Fortunato, o acusado de mandar me assassinar alguns dias antes, no crime que quase me tirou a vida. Não inverta as coisas, governador Brizola.

Nesse momento, as vaias estridentes obrigaram Lacerda a fazer uma pausa. Brizola pediu calma ao público:

— Por favor, companheiros. Deixem o sr. Lacerda concluir. Se os democratas não garantirem o direito de todos falarem, quem vai garantir? Os golpistas?

A plateia silenciou.

— Foi bom o senhor falar em golpistas, governador — retomou Lacerda. — Na sua opinião, há algum golpista neste recinto?

— Não sou juiz. Respondo pelos meus atos. Cada um coloca na cabeça o chapéu que lhe cabe — devolveu Brizola.

— O senhor acha que ficaria bem com esse chapéu?

— Não fui eu que gritei contra a posse de Juscelino Kubitschek.

— Bem, eu estive com seu aliado João Goulart no exílio. Será que ele teria chegado vivo ao Uruguai se tivesse seguido os seus conselhos incendiários em 1964?

— Em 64?! De que lado você estava no golpe militar de 64, Lacerda?

A plateia não se conteve e explodiu em aplausos e gritos de exaltação ao seu líder: "Um, dois, três/ quatro, cinco, mil/ queremos o Brizola presidente do Brasil!".

A empolgação fez a vizinha tentar aumentar o volume do rádio que já estava no máximo. Como isso não era possível, subiu o som com a própria garganta, entrando na palavra de ordem brizolista e marcando o ritmo com batidas fortes na mesa. A trepidação fez o radinho tombar e parar de funcionar.

— Conserta, Juscelino — ordenou dona Diamantina.

O filho pegou o aparelho, retirou as pilhas e colocou de volta. O coro da plateia tinha terminado e Lacerda estava respondendo:

— O que sei de 1964 é que havia cheiro de ditadura comunista no ar...

Foi interrompido por uma gargalhada coletiva das galerias e alguns brados impacientes. "Fora com esse palhaço!", gritou um barítono da Brizolândia. Foi um grito tão potente que Brizola avistou o autor na galeria e se dirigiu a ele:

— Companheiro, vamos respeitar o debate. Cada um fala o que quer e responde pelo que diz. Eu não sei se este que está debatendo comigo é um impostor. Falei isso a ele fora dos microfones. Mas se aceitamos debater, vamos até o fim, democraticamente.

O público se aquietou de novo e Brizola prosseguiu:

— A risada geral resume a bizarrice da sua teoria conspiratória, Lacerda. Todos sabem qual foi a ditadura implantada no Brasil, e ela não foi comunista. Mas a palavra continua sendo sua.

— Obrigado, Brizola. De fato não se implantou uma ditadura comunista no Brasil. Se implantou uma ditadura militar de direita. Mas me permita voltar a João Goulart, talvez o presidente brasileiro que mais se aproximou do comunismo. Tive conversas muito boas com ele em Montevidéu. Iniciamos juntos um movimento político contra a ditadura: a Frente Ampla, incluindo o ex-presidente JK. Por que você, Brizola, condenou publicamente meu encontro com o Jango? Você não dizia que ditadura se combate com democracia?

Dona Diamantina parecia confusa com o que ouvia. Disse que não se lembrava da aliança entre JK, Jango e Lacerda. O filho comentou que o regime militar cassou os direitos políticos dos três por causa da Frente Ampla. E que os três morreram num intervalo de apenas nove meses quando estavam prestes a recuperar os direitos políticos.

— Então esse que tá falando aí é um impostor mesmo?

— Não. É o Lacerda.

— Você não acabou de dizer que os três morreram?

— Morreram oficialmente. O Lacerda caiu na clandestinidade.

— Como você sabe disso, Juscelino?

A vizinha interrompeu com um grito:

— Gente, cala a boca! O Brizola vai responder!

Apesar dos pedidos do líder, a plateia tinha feito uma algazarra depois da pergunta sobre a reprovação de Brizola ao encontro entre Jango e Lacerda. Quando conseguiu novamente o silêncio, Brizola respondeu com serenidade:

— Condenei esse encontro nos anos 60. Condenei de novo nos anos 70. E voltaria a condenar agora, nos anos 80, se Jango estivesse vivo. Por uma razão muito simples, Lacerda. Fazer acordo com você é que nem andar de bicicleta com pneu furado: um esforço danado pra não chegar a lugar nenhum, e ainda passar vergonha.

A plateia do Palácio Pedro Ernesto foi ao delírio. A vizinha do rádio de pilha também. Diamantina estava estática, olhando fixamente para Juscelino, que por sua vez encarava fixamente o tampo da mesa. E achou que nunca mais ia conseguir levantar o rosto quando ouviu a mãe lhe dizer:

— Hoje eu vou com você. Quero conhecer a sua outra vida.

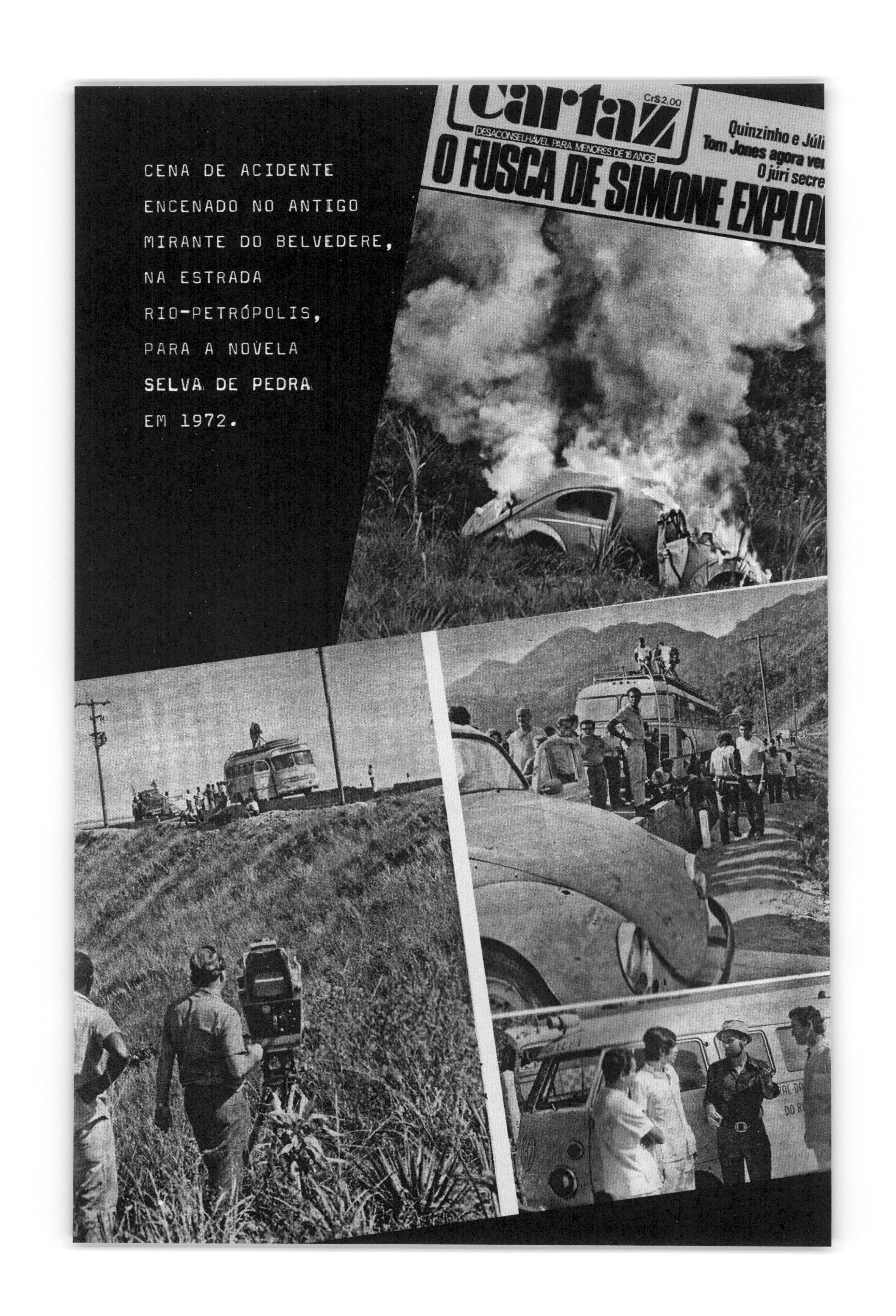

CENA DE ACIDENTE ENCENADO NO ANTIGO MIRANTE DO BELVEDERE, NA ESTRADA RIO-PETRÓPOLIS, PARA A NOVELA **SELVA DE PEDRA** EM 1972.

O ATENTADO DO BELVEDERE

O mês de novembro de 1977 começou pesado para Carolina. Ela tinha pedido a Juscelino para não pegar estrada no Dia de Finados. Superstição.

Ele respondeu que não havia tempo para superstição: precisava levar Donald imediatamente ao seu escritório carioca para que ele iniciasse as investigações sobre Marcius Bustamante e seu empreendimento fantasma na Barra da Tijuca, conforme a pista dada na véspera por Marilyn Monroe. Donald estava convicto de que o corretor X-9 iria tentar vender caro o seu silêncio antes de dar com a língua nos dentes sobre o paradeiro de Lacerda.

O combinado era Carolina ligar de um telefone público em Petrópolis para o escritório de Donald no final da tarde. Tinham descido a serra de manhã cedo e a essa altura já poderiam ter algo a dizer. O empresário americano iria acionar seus contatos na cúpula da construção civil brasileira para saber sobre o tal projeto Barra 20, que virara um calote colossal. Se havia mesmo as digitais de Bustamante no negócio, ainda que através de laranjas, Donald descobriria. E partiria para o contra-ataque antes do ataque.

Ninguém atendeu às ligações de Carolina. Como era feriado, só Donald e Juscelino estariam no escritório. Os maus pressentimentos dela sobre a viagem no Dia de Finados passaram a torturá-la. Passou a noite em claro sem notícias.

De manhã comprou os jornais assim que a primeira banca abriu. E encontrou a notícia: um táxi da marca Brasília tinha despencado no barranco em frente ao mirante Belvedere. A notícia destacava que o acidente acontecera exatamente no mesmo local da famosa gravação da novela "Selva de Pedra" — que cinco anos antes filmara um Fusca indo ribanceira abaixo no acidente da personagem de Regina Duarte.

De acordo com a notícia, os dois ocupantes do táxi tinham sobrevivido. Ambos estavam hospitalizados em Duque de Caxias. Não havia mais detalhes sobre o estado de saúde do motorista e do passageiro. Carolina pegou o primeiro ônibus para o Rio, deixando Lacerda com tio Benjamin.

A chegada ao hospital foi tumultuada. Não conseguia encontrar os pacientes de jeito nenhum. Os dois tinham dado entrada inconscientes e o registro pelos nomes ainda não tinha sido feito. A tentativa de localizá-los informando que fora um acidente automobilístico na Rio-Petrópolis não funcionou. Havia várias internações com essa causa.

Ela especificou: uma Brasília que caiu do barranco na curva do Belvedere. Um enfermeiro que passava ouviu, identificou o caso vizinho ao "desastre da Simone Marques" (a personagem da novela) e informou o número do quarto de uma das vítimas. Com o adendo:

— A outra vítima não pode receber visitas porque está na UTI.

Com a respiração presa, Carolina disparou em direção ao quarto sem saber se ia encontrar Juscelino ou Donald. O que não estivesse lá, estaria em estado grave. Abriu a porta sem bater e teve um instante de alívio:

— Elvis!

Juscelino estava cochilando e, junto com os olhos, abriu um sorriso. Ela o abraçou e deu um pulo para trás, com o gemido de dor dele.

— Desculpe! Tá doendo onde?

— Tudo.

A resposta sussurrada fez a visitante cair no choro. Mesmo assim ela perguntou o que tinha acontecido e se ele já tinha tido notícias de Donald. O taxista fez um grande esforço para falar o pouco que sabia:

— Tentaram nos matar.

— Como assim?! Quem?!

— Não sei. Um carro colou na minha traseira e bateu por trás, no meio da curva. Perdi a direção e desci o barranco. Não lembro de mais nada.

— Que loucura, Elvis! Não é possível! Isso só existe em filme!

O taxista suspirou e fechou os olhos novamente. Carolina viu que a conversa o estava exaurindo e parou de falar, apenas segurando sua mão com firmeza. Mas um milhão de perguntas lhe vinham à mente e ela se permitiu fazer uma delas:

— Você lembra qual era o carro que bateu no seu?

Ele respondeu de olhos fechados:

— Um Opala.

— Opala? Um Opala vinho?!

O taxista abriu os olhos:

— Como você sabe?

Agora quem não conseguia mais falar era ela. O cerco que sofrera três dias antes lhe tomou a mente: o pernoite no bar de Marilyn Monroe para evitar a possível tocaia de Bustamante — o cordial do dia e bestial da noite, o corretor misterioso dublê de X-9, o emergente da fachada lustrosa, da linguagem empolada, dos trajes recém-saídos da butique, do Opala do ano. Vinho. Não havia dúvida.

— Descansa, Elvis.

Era melhor desconversar do que torturá-lo com a sua descoberta sobre a identidade do algoz. Deixou-o dormindo e foi buscar notícias de Donald Kalmar Jr.

Após mais um périplo por corredores e balcões, conseguiu localizar o outro passageiro da Brasília amarela que despencara ao lado do Fusca de Simone Marques. As informações sobre a gravidade do seu estado não eram precisas. O certo era que ele permanecia inconsciente na UTI.

O médico responsável perguntou a Carolina se ela era parente do acidentado. Ela gaguejou, já imaginando aonde aquela averiguação poderia parar. Disse que não o conhecia, era só amiga do taxista que o levava. O médico explicou que os documentos de identificação não tinham sido encontrados ainda e era preciso alguém se responsabilizar pelo paciente. Ela disse que tentaria localizar a família assim que o taxista se recuperasse.

— Ok. A senhora pode deixar um número de contato seu?

— Infelizmente, não.

— Desculpe: por que não?

— Não tenho telefone. Moro na roça.

— Ah, certo. Pode deixar então apenas seu nome e número de identidade, por favor.

— Não há necessidade, doutor.

— Senhora, tenho um paciente em estado grave, inconsciente e sem identificação. Enquanto não aparecer aqui um familiar ou responsável, a senhora é a única referência.

— Tudo bem. Anota aí: Priscilla Presley.

— Como se escreve "Presley"? Se importa de me emprestar seu documento de RG? Aí já pego todos os dados.

— P-r-e-s-l-e-y. Estou sem meu documento aqui. Vim direto da roça, lá a gente não anda com documento.

— Tudo bem. Qual o número do seu RG?

— Não sei de cor.

Com a última evasiva, o médico se sentiu definitivamente autorizado a desconfiar de sua interlocutora.

Encerrou a conversa dizendo que aguardaria referências sobre a família ou algum responsável pelo paciente. E deu uma última informação: havia sido encontrado no bolso do paletó do acidentado um recorte da *Tribuna da Imprensa*, o jornal que pertencera ao falecido ex-governador Carlos Lacerda — considerado inimigo da democracia pelo governo militar. O recorte era de um editorial contra o governo. Por isso, em caso de recuperação da consciência, o paciente precisaria ser interrogado antes de receber alta.

Carolina "Presley" disse que compreendia perfeitamente a conduta e se mandou.

Uma hora depois estava diante do braço direito de Donald no escritório da empresa, no Centro do Rio. Roy Vannata era um americano do Arizona radicado no Brasil e principal guardião dos interesses do chefe no país. Se casara com uma carioca do subúrbio de Deodoro e tinha dupla cidadania. Nunca tinha ouvido falar em Carolina, mas já conhecera Juscelino e sabia que Donald desceria de Petrópolis com ele.

Estava estranhando a falta de notícias, mesmo já tendo sido alertado pelo chefe de que, em se tratando da agenda relacionada à clandestinidade de Lacerda, a comunicação entre eles podia demorar. Para começar, não havia telefone na chácara do Rocio.

Carolina telefonou de um orelhão em Caxias para o escritório de Donald se apresentando e informando sobre o acidente. Roy Vannata disse que iria imediatamente para o hospital, já planejando a transferência para uma UTI mais equipada. Carolina teve que falar grosso: "Não se mova! Não venha de jeito nenhum. Estou indo ao seu encontro".

Chegando ao escritório, ela explicou a situação: Donald estava sob custódia. Se recuperasse a consciência, teria de ser interrogado antes da alta hospitalar. Era melhor que permanecesse anônimo por enquanto, sem chamar atenção para os rastros da sua parceria com Lacerda. Juscelino já estava instruído a alegar que a memória estava falhando após a batida e não se lembrava do nome de seu passageiro.

Depois de se apresentar como Priscilla Presley sem documentos, Carolina naturalmente era suspeita e não podia mais voltar ao hospital. Roy Vannata tomou duas providências: informar à sua mulher, Jennifer, que teriam uma hóspede nos próximos dias; e se disfarçar de enfermeiro para conseguir chegar até o quarto de Juscelino com instruções sobre Donald.

E uma terceira providência: a partir das informações trazidas pela "Sra. Presley", mandou seu *staff* iniciar uma varredura completa no empreendimento fantasma Barra 20 e possíveis conexões com o "agente imobiliário" Marcius Bustamante. Carolina perguntou se não seria melhor esperar Donald sair da UTI. Vannata respondeu:

— Não sei. Só sei que se o chefe escapar dessa, não vai me perdoar se eu tiver esperado pra agir.

Mrs. Presley conseguiu sorrir pela primeira vez desde o desastre do Belvedere. E Elvis recebeu, no dia seguinte, a visita de um enfermeiro novato, com leve sotaque gringo.

— Como estão as dores no pescoço?

— Diminuíram bem.

— E nas pernas?

— Praticamente desapareceram. Dei até uma caminhada no corredor hoje.

— Ótimo.

— Será que amanhã já posso ter alta?

— Não.

— Por quê?!

O enfermeiro chegou mais perto e falou baixo:

— Sou Roy Vannata, assessor do dr. Donald Kalmar Jr. Preciso que você diga aos médicos que ainda sente muita dor, que está sem equilíbrio e com os reflexos tardios. Preciso que você adie a sua alta ao máximo e monitore o estado de saúde do dr. Donald. Ninguém mais poderá fazer isso.

Juscelino só conseguiu arregalar os olhos e continuar ouvindo.

— Se ele sair da UTI, você precisa ser o primeiro a saber. Vá visitá-lo no quarto. Se ele estiver totalmente lúcido, diga que ele está sendo monitorado. Ele vai saber o que fazer. Se ele não estiver totalmente lúcido, temos um problema grande. Vão interrogá-lo de qualquer forma. E vão perguntar sobre o dr. Lacerda.

Juscelino engoliu em seco e disse que tinha entendido. O "enfermeiro" se retirou.

Em 48 horas, na rede de informações que montara com os enfermeiros de verdade, o taxista teve a grande notícia: o paciente que se acidentara com ele ia sair da UTI. Conforme as instruções de Roy, obteve o número do quarto e pediu para visitá-lo na primeira hora. Lá chegando, foi barrado.

Na porta, um homem fardado informava que aquele paciente não podia receber visitas.

Dentro do quarto, um médico acompanhava outro homem fardado, que se dirigia a Donald mostrando o recorte de jornal encontrado no bolso do seu paletó:

— O senhor sabe o que é isso?

— Sei.

— O que é?

— Um pedaço de jornal.

Impaciente, o homem aproximou o recorte da cama:

— É um editorial, certo? Foi o senhor quem recortou?

— Não me lembro.

— O senhor gosta de Carlos Lacerda?

— Claro. Somos amigos.

— O senhor está dizendo que foi amigo pessoal do ex-governador?

— Fui e sou.

— Como assim?

— Vários amigos romperam com o Lacerda quando ele foi conversar com o Jango, mas eu não. Continuo firme. Quando sair daqui vou me encontrar com ele.

O médico e o militar se entreolharam em silêncio.

* * *

Conforme combinado, tio Benjamin ligou de um orelhão para o escritório de Donald e conseguiu falar com Carolina no dia seguinte à chegada dela ao Rio.

Foi informado que Juscelino não corria risco de vida, mas o empresário corria. Estava inconsciente na UTI. A orientação de Roy Vannata, o braço direito dele, era que Lacerda e Benjamin permanecessem na chácara. A escolta estava mantida.

Contou que além do risco de vida, Donald estava sob risco político. E que ela própria tinha despertado suspeitas. Se esquivara de mostrar sua identidade, apresentando-se como Priscilla Presley. Tio Benjamin deu uma gargalhada fora de hora.

— Essa é a sua identidade verdadeira, Carolina! Mulher do Elvis!

Depois de repreendê-lo pela risada no meio da tragédia, ela completou, quase para si mesma:

— Não sou mulher do Elvis. Ele tem a Sarah.

— Sarah é mulher do Juscelino. A mulher do Elvis é você, senhorita Presley. E o homem que está internado em Caxias não é Juscelino Kubitschek. É Elvis Presley.

Confusa com a mensagem, Carolina encerrou o telefonema mudando de assunto: pediu a ele que orientasse Marilyn Monroe a checar se o Opala de Marcius Bustamante estava batido no para-choque dianteiro. E assim que tivesse a informação, telefonasse para a casa de Roy Vannata.

Tio Benjamin achou melhor passar logo no bar da Marilyn. Tomaria umas duas doses de cachaça na conta de Lacerda e depois continuaria bebendo uísque com ele, que não gostava de misturar ("péssimo hábito esse seu de beber uma coisa de cada vez, Carlos", criticava o especialista). Encostou no balcão, passou a mensagem de Carolina Presley para Marilyn Monroe e deixou a falsa loira intrigada.

Antes de pegar o ônibus para o Rio, Carolina lhe dera a notícia do acidente automobilístico no Belvedere. A balconista ligou os pontos imediatamente. Como o bar estava vazio, deixou a garrafa de cachaça no balcão para tio Benjamin se servir e foi fazer sua primeira busca. Telefonou para um amigo mecânico na oficina que Marcius usava. Em dois minutos teve a confirmação: o Opala vinho chegara lá com o para-choque dianteiro muito amassado, a ponto de ter que ser trocado por um novo. O conserto já fora feito e o corretor já tinha buscado o carro.

Marilyn perguntou se o mecânico poderia fazer uma cópia da nota de serviço para ela. Ele respondeu que tudo tinha um preço. Marcaram a entrega da encomenda à noite num motel.

A sós com a garrafa, tio Benjamin acabou tomando todas as doses que havia dentro dela. Chegou cambaleando além do normal à chácara e encontrou Lacerda aflito por notícias dos dois acidentados. Resumiu da maneira que o seu estado etílico permitiu:

— O Donald tá à beira da morte.

O ex-governador deu um salto. Se enfiou num paletó e disse que ia ao encontro do amigo, custasse o que custasse. Benjamin se assustou com o gesto radical. Das profundezas da bebedeira, o susto lhe trouxe a um nível um pouco mais elevado de discernimento, suficiente para entender o perigo iminente. Resolveu reformar a mensagem:

— Calma, Carlos. O Donald tá bem.

Lacerda segurou o companheiro de esconderijo pelos ombros e o sacudiu:

— Como, tá bem?! Você acabou de dizer que ele tá morrendo!

Benjamin quase desmontou com a sacudida, mas permaneceu sereno:

— Foi jeito de falar, meu amigo. Me expressei mal. Nem existe beira da morte, né? Morte não tem beira. Ou você cai no meião dela ou você tá vivo. O Donald tá vivo. Daqui a pouco ele entra aqui na chácara, falando aquele português horrível dele.

Lacerda suspirou e desabou na poltrona novamente. Era impossível saber o que de fato estava se passando. O mundo do tio Benjamin era um exílio em si.

— O Donald vai sobreviver, Carlos. Mas e você? Quase seis meses metido nesse buraco. Tem que voltar pra vida, meu amigo.

Com a proximidade física, o boêmio de Caxias já tinha dispensado o tratamento formal e qualquer cerimônia. De "Seu Carlos", já estava em "meu amigo" — ainda mais agora, a sós com ele. Carolina tinha ajeitado um quarto na casa principal da chácara. Como ela e Juscelino não estavam, tio Benjamin pernoitara na casinha dos fundos do terreno com Lacerda. E acordou já com autoridade para dar conselhos.

Apesar de toda a esquisitice e inconveniência, era uma boa companhia para o ex-governador. Conhecia bastante de política e, no meio de todo o script destrambelhado, aparecia com boas sacadas. Valia a pena ouvi-lo. E a cutucada sobre sair da clandestinidade mexeu com Lacerda.

— O Donald acha que eu devo esperar a anistia. Agora seria muito arriscado.

— Há treze anos falam em abertura política. Há nove anos fizeram o AI-5. Quanto mais falam em abrir, mais fecham. Há três anos entrou o governo oficialmente comprometido com a abertura. Há dois anos o Wladimir Herzog morreu na prisão. Você acredita em anistia? Quantos anos você topa esperar?

Lacerda estava intrigado com tio Benjamin. Ficava pensando no Beijo, o irmão problemático de Getúlio Vargas que inspirara seu "nome artístico" — batismo informal da irmã, Diamantina, que por sua vez detestava os inimigos de Vargas, ele próprio (Lacerda) à frente. Benjamin parecia não detestar ninguém. Nem amar ninguém.

Falava mal de Getúlio, de Juscelino, de Jango e dos militares. Provavelmente só não falava mal de Lacerda porque estava bebendo com ele, morando com ele e vivendo à custa dele. Jogado do dia para a noite numa trincheira política, tendo como única ideologia o copo, tio Benjamin se tornara uma espécie de turista da clandestinidade. Mas levantava questões pertinentes.

Lacerda serviu uísque para os dois e acendeu seu cachimbo sem responder quantos anos admitia esperar escondido pela anistia. Levou então outra pergunta de chofre:

— Você se arrepende de ter apoiado os militares em 64?

De novo a resposta não veio e o interlocutor foi para cima:

— Eu sei que você só fala dessas coisas com o Donald. Mas e se o Donald morrer? É melhor você se acostumar a falar comigo.

— Morrer?! Você disse que ele tá bem, seu aloprado! Que história é essa? Qual é o estado do Donald?

— Ele tá bem. Já falei que tá bem. Pra morrer basta estar vivo, né? Mas, ok, vamos falar do Donald. O que ele achava... Quer dizer: o que ele acha do seu apoio ao golpe?

— Não apoiei um golpe. O Brasil não tinha escolha. As vias legais estavam sendo usadas pra impor aos poucos, ou nem tão aos poucos assim, uma ditadura. O modelo era a doutrina comunista, uma das mais cruéis que existem.

— Mas se não era golpe, por que virou um regime autoritário? A sua explicação parece mais uma desculpa...

Lacerda elogiou a inteligência de Benjamin. Disse que estava se sentindo diante de William Buckley Jr., um conceituado comentarista político norte-americano que lhe fizera perguntas parecidas numa entrevista nos EUA.

— Tenho uma fita cassete com trechos dessa entrevista. Quer ouvir?

— Claro. Se eu dormir você me acorda? Não me leva a mal, é que quando estou bebendo e fico muito tempo sem falar, às vezes pego no sono.

O ex-governador aceitou o trato. Viajar mentalmente para os Estados Unidos, reproduzindo um longo colóquio em língua inglesa, também era uma maneira de se conectar com Donald Kalmar Jr., o grande amigo que ele de repente não sabia mais se iria rever. Colocou a fita no velho gravador que tinha sempre ao seu lado e apertou o *play*.

Buckley perguntava se Lacerda tinha apoiado a deposição de um presidente eleito democraticamente (João Goulart). Ele respondia que sim. E explicava que a renúncia de Jânio Quadros tinha imposto ao país um programa de governo inverso ao escolhido pela população — o do seu vice João Goulart. E que uma vez constituído, o novo governo transformara rapidamente as instituições públicas em braços de militância incendiária.

Mas como ser um defensor da liberdade e se afastar da democracia em defesa dela?, insistia Buckley Jr., referindo-se à decisão de Lacerda de deixar de reconhecer a legitimidade do mandato de um representante eleito pela sociedade.

Quando um governo formalmente democrático abusa dos seus poderes, perde a legitimidade, respondia o entrevistado. Mas quem decide o que é abuso?, fustigava o entrevistador. Resposta: quem decide é o consenso nacional. E quem define o que é o consenso?, encurralava Buckley Jr. É a maioria? Se a maioria apoiar um ditador, ela tem que prevalecer?

A essa altura, uma única verdade se impunha: tio Benjamin já estava dormindo.

Foi despertado pelo estalo do botão *stop* do gravador. Abriu os olhos já falando com firmeza:

— Concordo totalmente.

— Concorda com o quê?

— Com isso aí que foi falado.

— Qual parte?

— Tudo. Essa entrevista reforça o meu ponto: você precisa sair da clandestinidade.

— Por quê, exatamente? — indagou Lacerda, convicto de que "o ponto" do seu interlocutor não tinha nada a ver com a sua entrevista a Buckley Jr., que virara cantiga de ninar para bêbado. Mas a resposta veio enfática, como se tio Benjamin estivesse emergindo de uma reflexão profunda:

— Pensa comigo: essa chácara é do Donald. Se ele morrer, os herdeiros podem querer tirar a gente daqui. Como é que você vai arrumar outro esconderijo assim de repente?

— Se ele morrer eu não sei. Se ele não morrer é porque o santo dele é muito forte.

Benjamin captou a indireta e prometeu ser mais positivo, só falando da hipótese da sobrevivência do empresário. Lacerda agradeceu a gentileza e respondeu à questão de mérito:

— Quer dizer que você acha que a minha decisão sobre sair da clandestinidade depende da situação patrimonial do imóvel onde estou escondido? Tipo: "Lacerda é despejado de esconderijo e sai da clandestinidade"?

— Você pensa pequeno, Carlos.

Ouvir aquilo, daquele personagem, naquela situação, poderia muito bem ser considerado o fim da linha para qualquer político de primeira grandeza. Nem precisava ser ex-governador, fundador de jornal, de partido e de editora. Mas diferentemente de Buckley Jr., tio Benjamin não era suscetível à espada da lógica. Esgrimir o argumento cortante e fatal não adiantava nada. Não fazia nem cócegas no juízo peculiar do interlocutor, que seguia avançando incólume:

— Você é cerebral demais. Parece até que não bebe. Pensamento é coração, meu amigo. Cabeça é só caixa de ferramentas. Falei da questão do imóvel pra te provocar. A Segunda Guerra acabou há 32 anos e teve um japonês que só saiu do esconderijo cinco anos atrás. Ouviu essa história?

— Ouvi.

— Pois é. Ele ficou três décadas escondido. Você vai completar seis meses. Mas viver num buraco um mês já bagunça a mente da pessoa. O sujeito que você mais ouve subiu no telhado. Não... Desculpe. Subiu no telhado no bom sentido, que eu digo. Enfim, você vai ficando sem referencial. Quer ver? Vamos fazer um exercício: finge que eu sou o Boca Júnior...

— Buckley Jr.

— Isso. Finge que eu sou o Júnior e me responde: o que o regime militar quer de você?

— Não sei.

— Tá vendo? Você tá perdidinho, Carlos. O país indo pra abertura e você fechado. Os responsáveis pelo setor onde o Herzog tava preso foram afastados. Acabou a linha dura, amigo.

— Tinha entendido você dizer que quanto mais o governo fala em abertura, mais fecha.

— Eu falei isso?

— Falou.

— Tá. Uísque com muito gelo às vezes me confunde mesmo. Serve um caubói aqui pra mim que vou tentar te explicar melhor a ideia.

Lacerda resolveu servir dois caubóis. Por alguma razão misteriosa, o sentido tortuoso e anárquico daquela prosa estava mexendo com seu ímpeto de liberdade — de um jeito que ele jamais conseguiria explicar de forma inteligível ao Boca Júnior.

Propôs um brinde à saúde de Donald, desejando que ele "descesse do telhado em segurança", virou a dose caubói de uma vez só e deu o brado retumbante:

— Vou sair desse buraco. Vou visitar meu amigo.

* * *

— Então o senhor continua amigo de Carlos Lacerda?

— Perfeitamente. Tenho alguns defeitos, mas lealdade não me falta.

— Lealdade no mundo dos vivos e dos mortos.

— Dos vivos, eu garanto. Dos mortos ainda não experimentei.

— O senhor disse que pretende se encontrar com Lacerda ao sair daqui. Foi uma maneira de dizer que teme não sair vivo deste hospital?

— Não tenho esse temor. Estou me sentindo bem e tenho confiança de que vou me recuperar.

— Então devo concluir que Carlos Lacerda também passa bem.

— Claro. Saúde perfeita.

O militar fez um sinal para o médico e os dois trocaram algumas palavras ao pé do ouvido, de costas para o paciente. Em um minuto, o militar voltou a interrogar Donald:

— Estou entendendo que o senhor quer nos fazer uma revelação. Fique à vontade para contar o que quiser. Me permita uma primeira pergunta: onde o senhor pretende encontrar Lacerda?

— Na casa dele. Vou sugerir que o ex-presidente Juscelino Kubitschek também esteja presente. É preciso avançar com a Frente Ampla. Será positivo para todos no Brasil.

O militar suspirou e lançou um olhar de desânimo para o médico, que fez um sinal negativo de desalento com a cabeça. O interrogatório estava encerrado.

Como Juscelino, o taxista, tinha sido a única pessoa a manifestar interesse pelo estado de saúde de Donald, a direção do hospital perguntou se ele assinaria um termo de responsabilidade. No documento constaria que o paciente apresentava quadro de insanidade mental e necessidade de encaminhamento psiquiátrico. Juscelino assinou e se mandou do hospital com Donald — após também receber alta relatando uma súbita melhora de todos os seus sintomas.

Enquanto procuravam a pé o orelhão mais próximo nas ruas de Caxias, Juscelino abriu um sorriso e elogiou a estratégia de Donald. O médico relatara ao taxista, no ato da assinatura do termo de responsabilidade, as perguntas feitas e as respostas "esquizofrênicas" do paciente:

— Genial, doutor. Nunca me passaria pela cabeça essa ideia de o senhor se fazer de maluco. Estávamos preocupados com esse interrogatório. E o senhor tirou de letra.

— Como assim, se fazer de maluco?

— Não seja modesto, doutor Donald. Quando o médico me relatou que o senhor disse que ia se encontrar com Carlos Lacerda, quase infartei. Aí ele explicou que o senhor estava planejando reunir Lacerda e JK. Ou seja, que o senhor tinha perdido a sanidade mental e estava procurando comunicação com o mundo dos mortos. Gênio!

— Não entendi. Por que "mundo dos mortos"?

Juscelino sentiu um frio na barriga e parou de andar. Encarou Donald e fez uma pergunta-teste sobre um assunto que ambos já tinham discutido:

— O fato é que nós escapamos de um atentado, doutor. Aliás: o senhor continua achando que o acidente que matou JK foi provocado?

Donald arregalou os olhos:

— Como assim?! O JK morreu?! Meu Deus! Não me disseram nada lá no hospital! Como foi isso?

Chegando ao orelhão, Juscelino ligou para a casa de Roy Vannata e deu a notícia a Carolina: Donald tinha sobrevivido, mas a sua consciência não.

Chocada, Carolina teve que dar uma notícia quase tão chocante quanto a que acabara de receber: tio Benjamin tinha telefonado informando que Lacerda abandonara seu posto nos fundos da chácara e pegara um ônibus para o Rio, decidido a visitar Donald no hospital.

Na última poltrona de um ônibus comum, o ex-governador da Guanabara estava excitado como uma criança que sai sozinha pela primeira vez. Com uma máscara cirúrgica no rosto, um gorro de lã do Flamengo na cabeça e um conjunto de moletom — vestimenta com a qual jamais fora visto — ele se sentia confiante no disfarce. Talvez por isso, a excitação superava o medo.

O endereço que tinha nas mãos era o da casa de Vannata, obtido pelo tio Benjamin com Carolina. Sentindo cheiro de esquisitice no ar, a srta. Presley se recusara a passar as coordenadas do hospital. Mas Lacerda estava descendo a serra decidido a visitar Donald onde quer que ele estivesse. A casa do braço direito do empresário seria apenas a primeira parada. Só não sabia que teria escolta durante a viagem.

O ônibus estava sendo seguido por um Opala vinho — nem muito de perto, nem muito de longe. Distância segura. No desembarque da rodoviária do Rio, ligou o pisca-alerta até localizar o passageiro de gorro rubro-negro entrando num táxi. A escolta prosseguiu até a Barra da Tijuca.

O Opala conseguiu entrar no condomínio onde morava Roy Vannata, já que seu condutor conhecia outro morador do local, cujo nome informou na portaria. Estacionou, observou o elevador usado, o andar escolhido pelo visitante flamenguista e foi embora.

Na mistura de nervosismo e emoção, Carolina teve um acesso simultâneo de choro e riso ao ver Lacerda vestido como um moleque de torcida organizada. Deu-lhe um abraço apertado e não esperou para dar a notícia desconcertante: Donald tinha acabado de chegar do hospital, mas não era o mesmo Donald.

Lacerda nem cumprimentou os donos da casa e disparou em direção ao quarto onde o amigo estava repousando. Entrou, fechou a porta e ficou menos de cinco minutos a sós com ele. A porta foi reaberta e Lacerda apareceu com a expressão mumificada. Juscelino foi tentar confortá-lo:

— Difícil, né, doutor?

— Muito, meu amigo. Muito difícil.

Em torno de uma mesa de jantar, Lacerda, Juscelino, Carolina e Roy iniciaram uma reunião executiva sobre o quadro geral e as providências a serem tomadas. Um neurologista já tinha sido acionado para uma primeira avaliação de Donald. A operação para resgatar a Brasília amarela da pirambeira do Belvedere já fora executada, com a constatação esperada: perda total.

A empresa de Donald disponibilizaria um carro novo para Juscelino. Mas ele pediu, meio sem jeito, que a oferta generosa fosse convertida em uma reconstrução da sua Brasília 73. Roy argumentou que aquilo não fazia o menor sentido e que o novo carro seria muito superior. Mas acabou cedendo ao entender que para o taxista se tratava, por assim dizer, de um caso de amor.

Lacerda informou que iria passar a manchete para a *Tribuna da Imprensa*: "Brasília é reconstruída por Juscelino".

A risada geral teve motivação extra: apesar de tudo, Lacerda não perdera a piada — e a capacidade de rir. Isso era uma demonstração de força, fundamental para o que vinha pela frente. A começar pelo tópico seguinte da reunião: a investigação sobre Marcius Bustamante. Carolina abriu os trabalhos revelando a sua descoberta: o corretor X-9 fora o causador do acidente na curva do Belvedere.

A checagem já tinha sido feita e confirmada por Marilyn Monroe. O Opala vinho que batera na Brasília fora trocar o para-choque dianteiro em Petrópolis, na oficina que Marcius usava. Marilyn tinha conseguido inclusive obter uma cópia da nota de serviço.

— Sagaz, essa moça, hein? — comentou Roy.

— É. Tem os métodos dela — resumiu Carolina, torcendo para não ter que entrar em detalhes sobre o acordo da falsa loira com o mecânico da oficina.

Lacerda partiu para uma dedução lógica a partir da revelação de Carolina: se Bustamante chegara ao ponto de atentar contra Juscelino e Donald, certamente soubera que a dupla estava indo ao Rio para investigá-lo. E só teria como saber disso de duas formas: ou invadira a chácara e ouvira a conversa deles escondido ou alguém tinha vazado a conversa para ele.

Carolina captou imediatamente que o "alguém" da hipótese de Lacerda só poderia ser Marilyn Monroe, que fora hostil com ele. Cortou na raiz:

— Então ele ouviu a conversa. A Marilyn pode ser meio doida, mas jamais faria isso.

— Não falei que foi ela.

— Não falou, mas pensou.

Vannata interveio:

— Não vamos nos prender nesse ponto. Um golpista tem os meios dele.

— A gente nem sabe ainda se é golpista — ressalvou Lacerda.

— Sabe, sim. Já achei o rastro do cara. Só falta uma confirmação final, mas é questão de tempo.

A euforia tomou conta da reunião em tal alvoroço que um tapa de Juscelino na mesa fez saltar um pratinho de pães de queijo. O gigante se desculpou com o dono da casa, mas todos entenderam que era energia represada contra o sujeito que, entre outras coisas, provocara o comprometimento cerebral de um homem brilhante.

— A tal Barra 20, dona desse empreendimento fantasma que fica aqui pertinho, tem três sócios bagrinhos. Eles pediram falência. Obviamente são os testas de ferro — continuou Roy. — Fui direto na construtora responsável, que também tá levando calote, porque fez a terraplanagem, chegou a iniciar as fundações e ficou a ver navios. Perguntei como eles entraram nessa fria. O presidente do conselho administrativo, que é meu amigo, respondeu o seguinte: o fiador informal do negócio é o Marcius Bustamante.

— Informal?! — estranhou Carolina.

— É. Informal, mas tem carta, telefonema, reunião gravada e o diabo mostrando que ele foi o grande lobista do negócio, convencendo todo mundo a entrar. É isso que esse cara é: um lobista. Tem entrada na imprensa, nos bancos, nas construtoras, no governo, na alta sociedade e acaba enredando todo mundo. Um entra porque sabe que o outro vai entrar, e assim vai. Desse jeitinho ele vai fazendo brotar piscina no deserto.

— Que confirmação você disse que precisa ter? — quis saber Lacerda.

— Esse meu amigo da construtora vai levar pro conselho a sugestão de me passar pelo menos as cartas e a fita de uma reunião gravada com o Bustamante. Com um material desses, qualquer investigação judicial séria quebra os sigilos e levanta a relação direta dele com os laranjas.

— Mas será que vão querer detonar o cara? — duvidou Juscelino.

— Pois é. Até aqui ninguém quis detonar porque ele tem entrada em tudo quanto é canto. É chantagista também. Mas dessa vez o tombo foi grande. E entre os lesados na compra do apartamento imaginário tem um figurão do governo Geisel.

— Aí a grita aumenta — se empolgou Carolina.

— Sem dúvida. Só tem um problema.

Ninguém teve coragem de perguntar qual era o problema. Roy Vannata prosseguiu:

— Não sei se o conselho da construtora vai topar o repasse confidencial desse material sem uma palavra do Donald.

Lacerda baixou a cabeça. E murmurou:

— Infelizmente não podemos mais contar com isso.

Como não havia mais nada de objetivo a deliberar e todos estavam exaustos, Vannata propôs que comessem uma pizza e fossem dormir. A cozinheira tinha sido dispensada por questão de segurança.

Juscelino foi com um carro da empresa de Donald pernoitar numa pensão em Caxias. Visitaria os filhos no dia seguinte e iria cuidar da reconstrução da Brasília. Lacerda desabou no sofá da sala. Carolina se ofereceu para dormir num colchonete no quarto de Donald, acompanhando seus primeiros momentos fora do hospital.

Quando ela acordou na manhã seguinte, Donald ainda estava dormindo. Lacerda também. Roy e Jennifer já tinham saído para trabalhar. Olhou pela janela e viu o sol do pré-verão carioca penetrando nas águas translúcidas da piscina do condomínio. Resolveu descer rapidamente para um breve encontro com o astro-rei.

A Barra da Tijuca não era o Rio que a tirara de Juiz de Fora, não tinha as linhas infinitas do Aterro do Flamengo, mas oferecia um respiro fora do cativeiro.

Arregaçou as calças e sentou-se um pouco na borda da piscina. Respirou fundo. Nunca se sentira tão sem futuro como agora. Impossível prever as próximas 24 horas. Estava pensando em relaxar ao menos por alguns minutos quando sentiu uma mão tocando seu ombro:

— Oi. Que mundo pequeno!

Carolina virou-se e encontrou o sorriso postiço de Marcius Bustamante.

STIA TRARÁ
CONFIANÇA NO FUTU

O REI PAULO MORREU APÓS
DIAS DE AGONIA

A NO

FOLHA DE S.PAULO

São Paulo, quinta-feira, 23 de agosto de 1979 • Um jornal a serviço do Brasil • Ano 58 • N.º 18.404 • Al. Barão de Limeira, 425 • Cr$ 10,00

GAZETA MERCANTIL

O poder de decisão na Nuclen

Jornal apreendido em São Paulo

Por pequena margem de votos no Congresso a medida deixa de ser ampla e irrestrita

Aprovada a anistia do governo

Alemanha não vê ameaça à soberania

"Fui enganado pelos EUA", diz Somoza

Sindicatos unificam campanhas

Delfim nega que gasolina sobe segunda

A Seleção toda no ataque hoje, ordena Coutinho

As testemunhas apontam oito no caso Homero

BEETHOVEN DE PIJAMA

Se estivesse de pé, provavelmente Carolina teria desabado no chão. Suas pernas ficaram bambas e sua cabeça girou, como se tivesse aspirado uma ampola de lança-perfume. Por sorte estava sentada. Apenas tirou os olhos da figura nauseante de Marcius Bustamante e encarou o espelho d'água da piscina do condomínio.

Se fosse um rio, ela teria se jogado na corredeira. Se fosse o mar, teria pulado na primeira onda. Sendo uma piscina, e estando ela vestida, restou agitar os pés na água para, pelo menos, borrar o reflexo do corretor na superfície lisa. Mas a voz afetada de malandrinho carioca metido a culto não dava para silenciar.

— Que coincidência te reencontrar aqui — continuou Marcius, fingindo que era bem-vindo. — O que a "dona" de uma chácara tão bela no Rocio está fazendo na selva de pedra da Barra da Tijuca?

Sem saída, Carolina começou a sentir uma transformação esquisita. Como se a saída estivesse aparecendo numa metamorfose interna. O suor frio cessou, o tremor nas mãos desapareceu, o aperto no peito sumiu. Em lugar deles, brotou a coragem de se virar para Bustamante, se pôr de pé e olhar dentro dos seus olhos.

— Surpresa boa, Marcius. Estava mesmo querendo falar com você.

O corretor não perdeu o rebolado diante da metamorfose de Carolina. Tinha orgulho de se adaptar sumariamente a qualquer situação. Constava num dos mandamentos de sua própria lavra, que costumava repetir aos funcionários do seu escritório imobiliário: "Sem ginga e sem lábia não se vai a lugar nenhum". Assim construíra a sua pirâmide de influência na elite do balneário.

Rápido no gatilho, respondeu já assumindo a iniciativa:

— Ótimo! Vamos botar o papo em dia. Aquela noite no bar da Marilyn foi um grande mal-entendido. Já me desculpei com ela, e me desculpo agora com você. O administrador desse condomínio é meu amigo, vou pedir pra ele abrir o espaço vip do bar da piscina pra nós.

Mesmo eletrizada pelo redemoinho interno que, como única saída possível, a empurrara para a frente, Carolina não deixou de se impressionar com a velocidade da conversão de Marcius. Sem dúvida era um profissional das aparências. Ela respondeu com o olhar nivelado ao dele, graças à boa estatura que dispensava salto alto:

— Obrigada, agora não posso. Tenho outro compromisso. Por que não jantamos esta noite? Estou livre.

O sorriso de morena mineira foi concedido pela primeira vez ao corretor, que não ficou imune. Todas as penas do pavão se abriram em leque:

— Fechado. Vou te apresentar o restaurante mais moderno do Rio. Vai ser uma noite inesquecível.

— Tenho certeza disso.

Quando retornou ao apartamento de Roy Vannata, Carolina não entendeu nada: Lacerda estava lendo jornal e Donald estava no telefone. Com o drama da confusão mental do empresário, ninguém conseguia sustentar uma conversa com ele — até porque era angustiante ouvi-lo insistindo num encontro entre Lacerda e JK, que já falecera havia mais de um ano. Mas a conversa telefônica parecia normal e Donald falava com boa fluência.

Em dois minutos ela entendeu o que se passava. Quem estava do outro lado da linha era tio Benjamin, o solitário da chácara. Ligara querendo notícias de Juscelino — ou, mais especificamente, de quando Juscelino voltaria para Petrópolis com dinheiro e comida. Marilyn Monroe já estava a ponto de enxotá-lo do bar, devido ao tamanho da pendura.

No que Donald atendeu o telefone, Benjamin já foi dizendo que "tinha certeza" de que ele sobreviveria — e ainda afirmou ter tido que convencer Lacerda disso. "O Carlos é muito pessimista", diagnosticou tio Benjamin, obtendo a concordância de Donald. Ambos estavam sentindo falta de conversar com alguém e o telefonema engrenou.

No ponto em que Carolina pegou, estavam discutindo se o escândalo de Watergate poderia contribuir com a abertura política no Brasil. Donald achava que não, Benjamin achava que sim. E aproveitou para capitalizar:

— O Lacerda só tá aí no Rio porque eu falei que com anistia ou sem anistia já estava na hora de ele sair da clandestinidade.

— Clandestinidade? Que clandestinidade?

A reação de Donald não constrangeu tio Benjamin:

— Pois é. Eu digo o mesmo: que clandestinidade? Chega de se esconder do inimigo invisível.

Como o "entrosamento" dos dois interlocutores não tinha propriamente a ver com lógica, a conversa prosseguiu tranquilamente.

À tarde, a visita do neurologista esclareceu o quadro: Donald ainda teria que passar por exames detalhados, mas tudo indicava que ele sofrera uma perda da memória recente. Os registros do passado não tão recente estavam intactos. O primeiro trabalho seria começar a conscientizá-lo disso, para uma terapêutica de adaptação.

O grupo fez nova reunião à noite, com a chegada de Roy e sua mulher, Jennifer. À família do empresário, que estava aflita por notícias na Flórida, o fiel escudeiro contara uma história diferente: ele pegara uma gripe forte e estava afônico. Assim ia mediando a comunicação de Donald com a esposa, para não chocá-la com o acidente neurológico enquanto observava a evolução inicial do quadro e pensava o que fazer.

Terapeuta corporal, Jennifer tinha também conhecimentos de reabilitação motora para danos cerebrais e iniciara um exercício cognitivo com o empresário. Tentava estimular sua memória com perguntas sobre acontecimentos da véspera, como a saída de Juscelino para consertar seu táxi. Estavam na sala de estar e o exercício constrangeu a todos que estavam em reunião na mesa de jantar ao lado: Donald ignorou o Juscelino taxista e respondeu sobre o falecido ex-presidente, insistindo que Lacerda devia se encontrar urgentemente com ele.

Roy Vannata aproveitou o gancho para comunicar a má notícia: o conselho da construtora lesada no projeto Barra 20 não aprovara o repasse das provas do *lobby* de Bustamante.

— Meu amigo foi sincero comigo: uma operação delicada assim, só com o aval do dr. Donald.

— Meu aval pra quê, Roy? — interveio o empresário, que estava no sofá sob os cuidados de Jennifer e até então não demonstrara nenhuma conexão com o que estava sendo conversado na mesa de jantar.

— Nada de mais, doutor. Um projeto maluco de uma construtora pequena que queria a nossa participação — enrolou Vannata. — Já vetei, não se preocupe.

— Ok. Mas não vai se encabular só porque eu estou acidentado, hein, garoto? Você sou eu na empresa. Qualquer coisa pra assinar, é só me trazer o papel.

Todos se entreolharam pensando a mesma coisa: se davam conta, naquele momento, que tinham condições práticas de apresentar a chancela de Donald — e assim obter o material que lhes permitiria proteger Lacerda, "neutralizando" o X-9. Como o próprio Donald acabara de dizer, bastava Roy Vannata colocar o papel na frente dele e pedir sua assinatura.

A tentação atravessou a todos silenciosamente. Em voz baixa, para não chamar a atenção do empresário, foi Lacerda quem vocalizou o que os demais só tinham tido coragem de pensar. Mas abriu o assunto já decretando seu encerramento:

— Não existe a menor possibilidade de fazermos isso. Com o Donald nesse estado, ninguém solicita nada a ele.

— Deu pra fofocar agora, Carlos? Tá cochichando o que aí? — entrou de novo o empresário, mais ligado que antes. — Com seu vozeirão miando desse jeito fica até estranho.

Lacerda olhou para Jennifer, como se perguntasse a ela o que fazer. Estava com dificuldade de se dirigir a Donald desde o acidente. Perturbava-o profundamente o colapso intelectual do amigo brilhante. Ela fez sinal para que ele continuasse falando. Ele obedeceu:

— Engano seu, Donald. Sempre fui fofoqueiro. Lembra que falei mal da mãe do taxista?

— Que taxista?

— O que me resgatou na Clínica São Vicente — arriscou Lacerda, tocando num ponto em que a memória do empresário tinha se apagado.

— Isso não chega a ser fofoca — devolveu Donald.

Jennifer notou a paralisação de Lacerda, mesmo com os sinais dela para que continuasse a conversa, e decidiu ser mais incisiva:

— Então, dr. Lacerda? É ou não é fofoca? Agora temos que esclarecer isso.

O ex-governador entendeu o apelo da terapeuta, respirou fundo e entrou no jogo:

— Claro que é fofoca. Onde já se viu falar mal da mãe de alguém que te ajudou num momento crucial?

— Deixa de frescura, Carlos — sustentou Donald. — A mãe do Juscelino te odeia a ponto de lamentar que você não tenha morrido no lugar do Jango. Você só disse que ela era massa de manobra do populismo. Isso não é fofoca. Nem chega a ser maledicência.

A expressão de Lacerda se iluminou. Não se conteve e perguntou ali mesmo para Jennifer:

— Ele tá voltando?!

— Voltando de onde? — se interpôs Donald. — Você tá esquisito, Carlos.

Jennifer fez um sinal de "calma" com a mão espalmada para Lacerda. Carolina percebeu que era hora de intervir e sugeriu a Donald que voltasse para o quarto, porque o desgaste com os exercícios tinha sido grande. Ele confirmou que estava cansado e deu boa noite a todos.

Após sua saída da sala, Jennifer falou:

— Amanhã vou relatar ao neuro. Vamos ver o que foi isso. O dr. Donald com certeza reativou uma função que estava inerte. Mas pode ter sido uma espécie de espasmo. Vamos ver como ele acorda.

A brecha de esperança uniu o grupo num misto de comoção e excitação. Como os donos da casa dormiam cedo, Lacerda intimou Carolina a beber com ele. Ela respondeu que já tinha um compromisso.

Todos estranharam. E ficaram ainda mais intrigados depois que ela foi se trocar e reapareceu exuberante com um vestido longo emprestado por Jennifer. Se despediu de forma enigmática:

— Desculpe, gente. Preciso me divertir um pouco. Tchau.

* * *

Embora Marcius Bustamante fosse um cafona metido a chique, o restaurante escolhido para jantar com Carolina era de fato chique. No descampado do Parque do Flamengo — a obra urbanística de Carlos Lacerda que fizera a havaiana de Juiz de Fora se radicar no Rio de Janeiro —, um espaço todo envidraçado quase mergulhando na Baía de Guanabara era pura poesia carioca. O corretor de imóveis já ocupava a melhor mesa quando a beleza de Carolina completou o quadro.

— Já te disseram que você fica mais bonita quando tá relaxada?

— Pois é. Resolvi relaxar. Não vou mais me torturar com espionagem.

— Espionagem?

— Marcius, vamos combinar assim: eu fico mais relaxada e você fica mais sincero. Que tal?

Ele sorriu com o jogo de argúcia.

— Fechado. É uma proposta adulta. Além de mais bonita, vejo que você é mais madura do que parece.

— Você ainda não viu nada — dobrou a aposta Carolina, sentando-se e encarando Marcius com fogo nos olhos.

— E aquele Elvis da Baixada? Você não tá mais com ele?

— Você é bem informado, Mr. Bustamante. Mas nem tanto.

A tirada enigmática confundiu o corretor.

— Tá ou não tá?

— Te respondo se você me disser quanto vai custar o seu silêncio.

Marcius fez um esforço adicional para manter o sorriso armado.

— Bela, relaxada, madura e um pouco afoita.

— Você acha? Tenho sido tão paciente...

— Quer um vinho?

— Quero. Mas acho que você não deveria beber. Não vamos estragar essa noite especial.

— Você é bem mais esperta do que eu pensava. Vamos combinar assim: eu tomo só uma taça. Meu problema é a partir da segunda.

— Você está cumprindo o trato da sinceridade. Obrigada.

— Só lido com cobra cascavel, Carolina. Vivo cercado por um bando de picareta. Desde que te vi naquele jardim da chácara... Sei lá, puxou o meu lado bom. Você é uma mulher que sabe cuidar. Ninguém cuida de ninguém nessa roda-viva.

— Seu lado bom é aquela grosseria debochada?

— Não. Aquele é o meu lado mau. Você foi hostil aquele dia e aí eu reajo assim. Ou talvez a hostilidade tenha partido de mim, não sei. Como te falei, só lido com cobra. Estou sempre na defesa. E a minha defesa é o ataque.

— Resumindo: você se interessou por mim, aí fingiu que se interessou pela chácara, ficou rondando o local e acabou descobrindo o Lacerda.

Com todo o seu PhD em lábia e ginga, Marcius Bustamante travou. Não esperava aquela flechada. Tomou um gole de vinho, massageou o pescoço e respondeu:

— Foi exatamente isso.

— Agradeço novamente a sua sinceridade. O pescoço tá doendo? Torcicolo?

— Não sei. Acho que dei um mau jeito.

— Batida de carro?

A expressão do corretor se fechou pela primeira vez. O lado hostil quis aflorar, mas ele conseguiu segurar.

— Não fui eu que bati no táxi.

— Acabou a sinceridade, acabou o amor. Vou embora.

— Calma! Estou falando a verdade.

— Não está.

— Vou te explicar. Como falei, vivo cercado de cobra. Do lado de lá e do lado de cá também. Resolvi sair do Rio e montei um time novo em Petrópolis. Tive que baixar o perfil. Minhas equipes têm desde vendedor até mateiro. Pedi a um faz-tudo pra descer a serra com meu carro, seguindo o táxi. Falei pra ele:

"Não perde esses caras de jeito nenhum. Eles querem me ferrar". Aí o maluco fez aquela merda.

— Parabéns. Você montou muito bem a sua equipe.

— Acidente de trabalho.

— Claro. E agora? O que você quer?

— Você.

— Perguntei o que você quer com a informação que você tem.

— Carolina, entende o seguinte: o problema do Carlos Lacerda não sou eu. Tem um submundo de parasitas e mercenários agindo por aí "em nome do regime". Cassado com dois "s" vira caçado com "ç" mais cedo ou mais tarde. Nem precisa de comando militar. É praticamente um mercado. Eu sou um negociante. Não vou negar que existe um valor pra informação sobre clandestino. No oficial e no paralelo. Eu conheço muita gente, querida. Pensa que quem pode delatar, pode proteger.

— Quanto você quer?

— Se você vier pro meu lado, isso sai de graça.

— Ok. Vou pensar.

— Um brinde à sinceridade.

Carolina ergueu a taça e Marcius massageou o pescoço.

— Estou preocupada com esse seu torcicolo. Pode ser cervical. Vou te dar o contato de uma amiga, especialista em retificação de coluna. Não é muito conhecida ainda porque veio do subúrbio, mas é a melhor. Aí você divulga o nome dela nessa elite que você conhece, pode ser?

— Só se você me der um beijo.

— Você me parece um pouco afoito.

Bustamante riu do troco espirituoso de Carolina e aceitou a dica do tratamento para o pescoço.

— Topa vir na consulta comigo? Aí você me apresenta sua amiga.

— Se você preferir ela atende em casa. É só um pouco mais caro.

— Ótimo. Eu mantenho um apartamentinho no Rio, lá na Barra mesmo. Você acompanha a consulta e depois fica pra um café.

— Pode ser. Aproveito e fiscalizo o seu "lado mau". Se ele der as caras, defendo a Jennifer.

— Suburbana com nome americano? Tem certeza de que ela é boa?

— Não se preocupe. O nome é inglês.

Mesmo postiço, o sorriso do corretor ficou amarelo.

— Não fica achando que é preconceito. Respeito quem vem de baixo. Eu mesmo vim de baixo.

— Ela não veio de baixo. Veio de uma família bem instruída e educada do subúrbio de Deodoro. Todos com boa noção de responsabilidade e respeito, todos trabalhadores. Com tanto rico ignorante, fica difícil dizer o que é de cima e o que é de baixo.

— Tem razão, querida. Mas não vamos desperdiçar nossa noite à beira-mar com sociologia, né? Quer mais uma taça?

Carolina sentiu o estômago revirar e precisou pedir licença para ir ao banheiro lidar com a sua ânsia de vômito.

* * *

Dois homens encapuzados agarraram Carlos Lacerda pelos braços e pernas e começaram a arrastá-lo em direção a um Opala escuro. O ex-governador começou a berrar e ouviu a voz tranquila de Donald Kalmar Jr.:

— Que gritaria é essa, Carlos? Quer acordar a casa toda?

Lacerda tinha sonhado no sofá da sala de Roy Vannata. Quem estava segurando seu braço era o amigo Donald — ajoelhado de pijama e com os cabelos grisalhos bem penteados, apesar do horário.

Confuso, o ex-governador consultou o relógio de pulso. Cinco e meia da manhã. A pouca luz do dia nascente bastou para notar um olhar diferente em Donald. E pela primeira vez desde o acidente ele não estava com os cabelos desgrenhados.

— Acho que já está na hora de a gente ir — disse o empresário.

— Ir pra onde?

— Não vamos voltar pra Petrópolis? Desculpe, não estou lembrando como viemos aqui pra casa do Roy. Acho que bebi demais ontem.

Lacerda deu um pulo do sofá e encarou o amigo:

— Você veio com o Juscelino investigar o tal corretor! Lembra?! Você lembra disso, Donald?!

— Claro que lembro, Carlos. Só não entendo por que você continua gritando desse jeito.

Lacerda deu um abraço apertado em Donald, que ficou surpreso e um pouco embaraçado, já que nenhum dos dois era de abraçar.

— Vamos tomar um café. Preciso te contar algumas coisas — convocou empolgado o ex-governador.

Após meia hora de conversa, Donald perdeu a fala. Mas dessa vez de perplexidade. Tinha ouvido todos os detalhes do acidente automobilístico no Belvedere e estava chocado com o fato de não se lembrar de absolutamente nada.

Em contraste, Lacerda estava eufórico e falava pelos cotovelos. Todos os elementos do passado recente que jogara na mesa da cozinha tinham sido reconhecidos normalmente por Donald: clandestinidade, X-9, Barra 20... Até Marilyn Monroe, a falsa loira do Rocio, estava intacta nos arquivos mentais do empresário. Ou mais do que intacta, considerando-se a luminosidade ocular quando o nome da balconista foi recitado.

— Então a dica da loira biruta era quente?

— Completamente, meu caro. O Roy já está com o dossiê do golpista. Só falta a sua assinatura.

— Minha?!

— Ele vai te explicar, não se preocupe. É só um acordo informal pra repasse de informações.

— Tá. Agora você que tem que me explicar: o que o sr. Carlos Lacerda está fazendo na Barra da Tijuca? Que clandestinidade de merda é essa?

— A informação que eu tinha era que você tinha subido no telhado, Donald. Com meu amigo no telhado, eu não podia ficar no porão.

Os olhos do empresário se encheram d'água, mas ele não amoleceu:

— Obrigado. Só que agora tenho que te levar de volta pro porão.

— Queria mesmo falar com você sobre isso. Estive pensando, Donald. Talvez tenha chegado o momento de sair da clandestinidade.

— Você tá louco.

— Louco eu vou ficar se continuar naquele buraco. Quase seis meses...

— Quanto tempo eu fiquei sem memória?

— Não chegou a uma semana. Quatro, cinco dias.

— Tá. E nesses cinco dias aconteceu alguma reviravolta no país? Decretaram a anistia? Convocaram eleições?

— Não.

— Então você tirou de onde essa ideia genial de sair desfilando pros seus algozes com um alvo nas costas?

— Não sei se é bem assim, Donald...

— Não? Como é, então?

— Andei trocando ideias sobre isso. Não sou só eu que penso assim.

— Trocando ideias?! Formidável. Com quem? Algum dos conselheiros do seu Estado-Maior do Rocio? Ou foi com alguma planta mais atenciosa lá da chácara mesmo?

— Tio Benjamin.

— Quem??!!

A reação de Donald sobressaltou Lacerda. Temeu que a memória do empresário tivesse voltado a falhar. Tinha falado baixo, ligeiramente encabulado com a citação, e repetiu com mais firmeza:

— O Benjamin. Tio do Juscelino. Não se lembra dele?

— Você só pode estar brincando, Carlos. O conselheiro pra decisão mais importante da sua vida é aquele pinguço que não se aguenta em pé? Parabéns. Você evoluiu muito nesses cinco dias.

O ex-governador não teve mais argumentos para sustentar sua reflexão precária sobre retomada da liberdade. Também não estava com a menor vontade de contrariar o amigo que acabara de nascer de novo intelectualmente na sua frente — e que por isso mesmo já estava querendo tomar providências sobre a sua proteção.

— Depois a gente vê isso, Donald.

— Depois, nada. Você tá completamente exposto aqui.

— Deixa eu te explicar uma coisa, meu amigo: pra um homem na minha situação, duas horas é longo prazo, dois dias é futuro remoto. No presente, eu tenho mais uma pergunta pra te fazer.

— Chega de teste de memória, por favor.

— Só mais um. Este é fácil: você se lembra de já ter tomado uísque de pijama às seis da manhã?

— Não.

— Ótimo. Vai perder a virgindade agora.

— Também não lembro de outra coisa.

— De quê?

— De te ver usando moletom. Você tá ridículo.

Quando Roy e Jennifer chegaram à cozinha para tomar café, se depararam com Lacerda e Donald cantando a 9ª Sinfonia de Beethoven e batucando com talheres numa garrafa de scotch. Entenderam tudo e assumiram seus postos na orquestra: ele no tambor da lata de biscoito, e ela na regência com espetos de churrasco.

* * *

Carolina tocou o interfone de Marcius Bustamante acompanhada de Jennifer. Ele não atendeu na primeira vez. Só na terceira tentativa elas conseguiram falar com ele e pegar o elevador para o 14º andar.

O corretor abriu a porta de roupão, se desculpando porque estava saindo do banho. O apartamento era espaçoso, com muitos quadros na parede.

— Uma namorada minha quando entrou aqui pela primeira vez disse que sentia como se estivesse entrando no MoMA. Eu sei que impressiona, mas não gosto de ostentar. Eu gosto de arte mesmo. Mas também não tenho sentimento de culpa por ter grana!

Soltou uma gargalhada tão espontânea quanto o sorriso de vendedor. E prosseguiu:

— Falando em grana, Jennifer... Desculpe, nem dei tempo pra Carolina nos apresentar. Muito prazer. Mas como eu ia dizendo: se eu fechar um pacote de dez sessões você me daria um desconto?

Os olhos de Jennifer passearam pelos quadros do museu novaiorquino da Barra da Tijuca e voltaram ao seu paciente que, ainda de roupão, já tivera tempo de dizer que era rico e de pedir desconto na sessão de fisioterapia.

— Vamos primeiro te avaliar — propôs Jennifer, falando pela primeira vez desde que saíra do elevador. — Você prefere que eu te atenda aonde?

— Carolina escolhe. Vamos pro quarto, gata?

— Vamos. Na cama é melhor, né, Jennifer?

A terapeuta concordou. Marcius perguntou se deveria ficar de short, sunga ou cueca. Como ele se sentisse melhor, respondeu Jennifer. Se sentindo muito bem — em trajes menores e com o início da massagem no pescoço —, o corretor foi se soltando. Contou que estava transferindo seus negócios para Petrópolis porque no Rio tinha "muito invejoso".

— Você não disse pra Marilyn que era porque o mercado aqui no Rio tava fraco?

— Disse. Aliás, como é fofoqueira, a Marilyn Monroe. Cuidado com ela.

— Tá. Vou tomar cuidado.

— Então a verdade é esta: tem muita inveja nesse balneário. Eu cresci demais. Falo por cima com toda a imprensa. E com governo, com banco, com o caralho a quatro. O que eu quero que aconteça, acontece. Claro que iam querer me derrubar.

— Relaxa — disse Jennifer.

— Relaxa?! Falar é fácil, querida. Na minha posição, queria ver você relaxar.

— Não, só pedi pra você relaxar o pescoço.

— Ah, tá.

— E quem quer te derrubar? — arriscou Carolina.

— A senhorita Presley tem uma bela vocação pra repórter.

— Desculpe. Não quis ser indiscreta.

— Não tem problema. Eu que estou me abrindo aqui. Culpa das mãos mágicas da Jennifer. É quase um transe hipnótico.

— Se preferir fechar os olhos e cochilar te acordo quando terminar. Pelo que senti até agora, parece tensão mesmo. A estrutura da cervical está íntegra.

— Cochilar é desperdiçar a vida, querida. A minha é um livro aberto, e aí já respondo à nossa repórter: quem quer me derrubar adoraria saber que o seu ídolo está vivo e escondido. Entende o valor das coisas? Como te falei, é um mercado.

— Não é meu ídolo. Pode falar o nome, a Jennifer sabe de tudo.

— Ótimo. Acabaram-se os segredos. E você já sabe a forma mais fácil de me ajudar a proteger o Lacerda. Se dificultar, vai ficar tudo mais difícil pra todo mundo... Ai!!!

Num impulso incontido, Jennifer apertara o pescoço de Bustamante com raiva. Contornou com um discurso padrão:

— Dói aqui, Marcius? É bem o centro da sua tensão. Vou fazer um movimento circular mais superficial para desfazer o foco do retesamento muscular.

Com menos de meia hora de sessão, o paciente decretou que "já estava bom". A terapeuta disse que o atendimento ia ficar incompleto, pois ainda faltava manipular as vértebras, entre outras ações. Ele disse que não tinha problema:

— Já estou melhor. Quanto eu te devo?

Jennifer já tinha comunicado o preço da consulta e a voz não saiu. Carolina tentou socorrê-la:

— Você não vai fazer a série de dez sessões, Marcius? Não precisa resolver o pagamento agora.

— Não. Ela é boa, mas estou sem tempo. Tenho que voltar pra Petrópolis.

Sentou-se na cama e se dirigiu a Jennifer:

— Pode ir. Foram 25 minutos, né? Te pago meia sessão. Agora estou sem cheque, mas na próxima vinda ao Rio acerto com você sem falta.

Dessa vez, nenhuma das duas teve palavras para responder. Carolina disse que ia levar Jennifer até a porta e voltaria para o prometido café com o anfitrião. Ele voltou a deitar e fechou os olhos:

— Vou relaxar um pouco. Estou te esperando.

Em cinco minutos, Bustamante começou a ouvir sua própria voz. Achou que estivesse sonhando e fez força para abrir os olhos. Não era sonho. Diante dele estava Roy Vannata, com um gravador em punho, reproduzindo a fita da reunião em que o corretor fazia *lobby* pelo projeto fantasma Barra 20:

"Vinte apartamentos de sonho, o empreendimento do século 20! O investimento inicial da construtora pra terraplanagem e fundações vai ser coberto no primeiro mês, já com a receita das vendas. Nós vamos ter a melhor mídia que vocês já viram, meus amigos. Telejornal, capa de revista, tudo que tem direito. Tudo segurado nos conformes, melhor aval bancário da praça. Vocês me conhecem, sabem que eu não dou ponto sem nó. É pegar ou largar. Se preferirem largar, tudo bem. Mas aí nos próximos projetos os parceiros vão saber que não dá pra contar com vocês..."

Marcius Bustamante apanhou um bastão debaixo da cama e saltou de cueca mesmo para cima de Roy. De trás da porta surgiu então Juscelino. Armado com uma cadeira, o gigante neutralizou o golpe do corretor, arrancou o bastão de sua mão e lhe deu uma gravata. O irrequieto Bustamante finalmente dormiu.

Política

Ulysses desiste e regimento só sai em janeiro

BRASÍLIA — "Não há mais acordo. Eu desisto de tentar o entendimento". Com essa declaração, feita às 10h, o presidente da Constituinte, deputado Ulysses Guimarães, cancelou a reunião em que, com os líderes do *Centrão* e do PMDB, tentaria mais uma vez chegar a um acordo para concluir a votação do regimento. Quando soube, por funcionários do seu gabinete, que o *Centrão* não tinha sequer 30 parlamentares no Congresso e a maioria de seus líderes já havia deixado Brasília, Ulysses desistiu.

"Fez muito bem. Foi um erro brutal do *Centrão* deixar isso para janeiro, mas não adiantava mais tentar o entendimento", disse a Ulysses o líder do PMDB na Constituinte, senador Mário Covas. Ulysses contou então que os líderes do grupo alegaram não ter condições para tomar qualquer decisão sobre o regimento. "Sendo assim, a reunião ia ser mais um encontro inútil. Eu não vejo mais espaço para a definição do regimento ainda este ano", disse o presidente da Constituinte.

Passarinho apóia — Não foi só Mário Covas quem cumprimentou Ulysses pela desistência nas tentativas de acordo. O senador Jarbas Passarinho, que integra o *Centrão*, considerou essa a melhor atitude. "O Ulysses estava só se desgastando. Foi um intermediário nessas negociações, sem nenhum êxito." Nem Passarinho nem Ulysses acreditam que esse adiamento impeça as eleições presidenciais em 1988. "O Tribunal Superior Eleitoral diz que em 15 dias baixa instruções para as eleições. Portanto, esse não é o problema", disse Passarinho. "Eu não acredito que o adiamento da decisão sobre o regimento tenha conseqüências na sucessão presidencial", completou Ulysses.

Mais uma vez, o presidente da Constituinte disse que vai convocar os parlamentares para estarem em Brasília no dia 3 de janeiro (domingo), a fim de que o regimento possa ser votado na segunda-feira. Mas isso não tranqüilizou Mário Covas. "Esse projeto de Constituição não começa a ser votado em plenário antes do dia 28, presidente. Estamos perdendo tempo desde 18 de novembro, quando terminaram os trabalhos da Comissão de Sistematização". Mal o líder do PMDB terminou de falar, foi abordado pelo deputado Theodoro Mendes (PMDB-SP), do *Centrão*.

Paralisia — "Mário, se houvesse acordo hoje, o prazo para apresentação de emendas correria a partir de hoje, mas acontece que nós ainda precisamos de tempo para assinar essas emendas", tentou justificar Theodoro. Covas explicou por que acha temerário deixar para janeiro o entendimento sobre o regimento. "Há uma expectativa nacional em torno da Constituinte e uma porção de coisas paralisadas no país, à espera da conclusão da Constituição. Vocês vão ser os responsáveis por isso, Theodoro".

Um dos amigos mais próximos de Ulysses, o deputado Heráclito Fortes (PMDB-PI), afirmou que "o *Centrão* será tão pressionado nos estados que chegará em janeiro louco para assinar qualquer acordo".

"Quer estragar o meu Natal?"

"Por favor, me dê um abraço porque em São Paulo estão dizendo que nós estamos brigando", pediu o senador Mário Covas ao deputado Ulysses Guimarães, diante dos fotógrafos. "Eu não posso deixar esses meninos saírem do PMDB", garantiu o deputado, ao atender ao pedido. Depois afirmou: "Mas eu vou brigar para vocês não saírem do partido." O deputado Amaury Muller (PDT-RS) aproveitou para pedir que Ulysses interferisse em favor dos funcionários da ... demitidos por causa da greve ... que vocês

Olavo Rufino

Fachada da Câmara de Vereadores, na Cinelândia, está enfeitada para a festa das diretas

PT e PDT fazem comício na Cinelândia por diretas em 88

O PT e o PDT esperam concentrar hoje, a partir das 16h, na Cinelândia, um público de 50 mil pessoas, no segundo ato por eleições diretas para presidente da República da nova campanha que começou com o comício de domingo, na Praça da Sé, em São Paulo. O dia de ontem foi de intensa agitação para os militantes dos dois partidos, empenhados na panfletagem que anunciava a união do ex-governador Leonel Brizola com o deputado federal Luiz Inácio Lula da Silva sob o rótulo: "Diretas 88 — com presidencialismo".

Apesar de ter participado do comício da Sé, o PC do B recusou-se, junto com outros partidos de esquerda — PSB e PCB — a subir no palanque montado nas escadarias do Palácio Pedro Ernesto. A discórdia se manifesta na questão do sistema de governo: na segunda-feira, às 17h, na Assembléia Legislativa, os três partidos farão um ato conjunto a favor de diretas com parlamentarismo, com a presença anunciada de Waldir Pires, Saturnino Braga, Fernando Henrique Cardoso, Afonso Arinos, Fernando Gabeira, Roberto Freire, Nelson Carneiro e Barbosa Lima Sobrinho, entre outros.

Santa — Enquanto 10 operários da empresa Mills montavam o palanque de 8 metros de frente por 5 metros de profundidade, a preocupação de Billy Davis, um dos organizadores da equipe do PDT, era com a imagem peregrina de Nossa Senhora de Fátima, que deverá desembarcar hoje no Rio. "Depois da concorrência da Xuxa e do jogo Flamengo e Internacional, que tiraram muita gente da Sé no domingo, só faltava esta santa chegar bem na hora do comício", brincava Billy, que mais tarde se certificou de que não haveria riscos: a imagem virá cedo, às 7h30min, e só será apresentada ao público no domingo.

Numa reunião no gabinete da liderança do PDT, na Assembléia Legislativa, a coordenadora do evento, Martha Alencar, confirmou os artistas que se apresentarão no *showmício*. A bateria do bloco Guararapes abrirá a festa às 17h. Em seguida, virão os puxadores de samba Neguinho da Beija-Flor e Isaías da São Clemente e Ataulfo Alves Filho, que precederão Martinho da Vila, Fagner e Taiguara. Cidinha Campos fará as apresentações, juntando-se no palanque a atores como Hérson Cápri, Beth Goulart, Paulo Betti e Osmar Prado. Brizola e Lula falarão por volta de 20h.

Uma grande faixa vermelha, com os dizeres em grandes letras amarelas, anunciava, do alto do Palácio Pedro Ernesto: "Agora é pra valer". O vereador Eliomar Coelho, líder do PT na Câmara, estava otimista: "Se vierem 20 mil pessoas, o comício será um sucesso absoluto".

Olavo Rufino

Maciel e Brizola: presidencialismo "moderno e est...

Brizola se une a Maciel

O ex-governador Leonel Brizola, se pudesse influenciar a maioria dos constituintes, o faria no sentido de levá-la a manter o presidencialismo, marcar a sucessão de José Sarney para 15 de novembro de 1988 em turno único e estabelecer para os futuros presidentes o mandato de quatro anos com direito a uma reeleição.

Essa confidência foi feita por Brizola ao presidente nacional do PFL, Marco Maciel, com quem ele se reuniu na manhã de ontem, na sede da Companhia Comércio e Navegação, no centro do Rio, das 10h44min às 12h30min. Maciel propôs ao ex-governador do Estado do Rio e presidente nacional do PDT — e ele aceitou — a formação de uma frente em favor do presidencialismo e do mandato de quatro anos para Sarney.

Os números — O movimento, segundo acredita o dirigente pefelista, contará, de saída, com 100 constituintes do seu partido, 130 do PMDB e 27 do PDT, que somam 257 dos 280 votos necessários para mudar a decisão da Comissão de Sistematização em favor do mandato de quatro anos para o atual presidente, mas com a adoção do parlamentarismo já a partir de 15 de março de 1987. Os 23 votos que faltam, Maciel ... possível buscar junto aos pequenos

Brizola concordou com o ... nacional do PFL quanto à nec... implantação de um presidenc... seja, no entanto, diferente d... presidencialismo moderno, ... permita uma participação m... e ativa do Legislativo e do ... grandes decisões nacionais... dois dirigentes partidários.

Tanto o presidente n... como o do PDT defender... um sistema político — d... princípio, de equipotênc... que permita ao Legisla... do Executivo que cont... público ou o interesse... *pacote* fiscal do minis... ou a ferrovia Norte... presidente Sarney.

Antes de se reu... ciel conversou 45 ... presidente Ernest... Norquisa, no cent... Geisel, segundo ... do com a rápida ... mica". No final ... para Recife, ... ministro Arma... neiro, o presi... Diretório Nac... tir orientação...

A Presidente Vargas, vista de helicóptero, é ...

Para o BB, j... deixam Brasil

O PORTA-VOZ DO CANDIDATO

— O senhor é candidato a presidente?

Lacerda fingiu que não ouviu a pergunta de um dos vários repórteres que o cercaram ao fim do debate com Brizola. Estava se sentindo estranho. A experiência de enfrentar um público hostil e fanático pelo adversário lhe dera uma sensação inédita de inutilidade das palavras.

Agora os onze anos de clandestinidade pesavam sobre as suas costas no primeiro contato frente a frente com a imprensa — alvoroçada e sedenta pela verdade oculta do político morto que estava vivo. A entrevista ao JB trazia as linhas gerais do caso. Mas agora a mídia precisava farejar o caminho a seguir na sua habitual bifurcação: exaltar o personagem ou destruí-lo.

Por que simulou a própria morte?

Como fez para não sucumbir à depressão no isolamento?

Como iria responder aos que o acusavam de ser um impostor usando o nome do falecido Lacerda?

Continuava temendo ser morto?

Pretendia se filiar a qual partido?

Por que desafiou o presidente da Assembleia Constituinte?

Estava criticando a nova Constituição Cidadã a mando de algum grupo econômico estrangeiro?

Atordoado, Lacerda furou o cerco dos jornalistas, se desvencilhou dos curiosos e saiu pisando forte, quase correndo. Estava sozinho. Aparentemente, seus únicos aliados na tarde-noite do Palácio Pedro Ernesto eram um despachante e um *office boy* — sendo que o *office boy* tinha lá suas dúvidas.

— O senhor deu um show! — celebrou o despachante, responsável pelo convite a Lacerda para o debate, ofegante após o pinote para alcançá-lo.

— É mesmo? — reagiu incrédulo o ex-governador, sem parar de andar rápido. — De onde eu estava só ouvi vaia, xingamento e ameaça.

— Exatamente. As vaias foram diminuindo ao longo do debate. Na Brizolândia isso equivale a aplauso. Pergunta ao Gregório Fortunato.

— Pergunta a quem?!

Ao ouvir o nome do homem acusado de mandar matá-lo em 1954, Lacerda não fazia ideia de que esse era o apelido do *office boy* franzino que estava do seu lado. O despachante Aspone fez o esclarecimento e direcionou a pergunta ao amigo:

— Foi ou não foi, Gregório?

— Não foi o quê?

— Porra... Tá dormindo, rapaz? Tô falando: a vaia pro doutor Lacerda não foi diminuindo cada vez que ele falava?

— Ah, isso foi mesmo.

— Tá vendo, doutor? O Gregório Fortunato entende de Brizolândia. Anda isso aqui pra cima e pra baixo. A gente arriscou a vida pelo senhor.

— Não exagera — estragou o *boy*.

— Não exagera? Não exagera?! Então olha ali.

O despachante apontou para os brucutus da Brizolândia que nesse momento faziam um cordão de isolamento para Brizola atravessar o saguão do palácio.

— Aqueles caras ali iam trucidar a gente, governador. Sabe por quê?

Lacerda não perguntou por quê, mas o comício prosseguiu assim mesmo:

— Porque nós estávamos lendo em voz alta ali na praça a sua entrevista no *Jornal do Brasil*. Tinha gente vendendo exemplar de segunda mão do JB pelo triplo do preço, sabia? Nunca vi isso.

Lacerda despertou para a conversa:

— É verdade, isso?

— Juro pela minha mãe mortinha, doutor. Juro por esses olhos que a terra há de comer.

Até então sem nenhum parâmetro da repercussão pública de sua reaparição, Lacerda se ligou na informação preciosa. Ia continuar interrogando o Aspone, mas foi interrompido. Darcy Ribeiro se aproximava para a despedida. Vendo o ex-governador acuado, fugindo dos jornalistas e sozinho com aquelas duas figuras inexpressivas, fez o alerta:

— Você tá isolado, Lacerda. Cuidado. A política não tem ponto fraco. Ela elimina o ponto fraco. Você sabe disso melhor que eu.

— Então você acredita que eu sou eu, Darcy? O Brizola disse ao público que eu posso ser um impostor.

— Não sei se acredito. Mas quero acreditar. Eu gosto de acreditar. Tanto que mandei deixarem você entrar no palácio.

— Eu lhe agradeço por isso, professor.

— Faça melhor, governador. Agradeça o alerta que estou lhe dando. Ou não agradeça, mas pense. A sua candidatura a presidente...

Foi cortado:

— Minha candidatura? Que candidatura? Estou sendo lançado por Darcy Ribeiro? Além de me dar acesso ao Palácio Pedro Ernesto, o grande antropólogo quer me levar pro Palácio do Planalto? Achei que o seu candidato fosse o Brizola...

— Não seja sonso, Lacerda. Só estou querendo te dizer que a sua candidatura a presidente da República pode gerar reações indesejáveis.

— Isso é uma ameaça?

— De jeito nenhum. Sou pacifista, todo mundo sabe.

— Diz isso pra esses trogloditas da Brizolândia que quase esfolaram meus amigos aqui.

Darcy virou-se para o despachante e o *boy*, que a essa altura estavam quase escondidos atrás de Lacerda:

— Eles atacaram vocês?

O despachante botou panos quentes:

— Não. Quer dizer... Houve uma discordância política entre nós...

O *boy* cortou a diplomacia:

— Aquele grandão ali disse que se não trouxéssemos o inimigo aqui a gente ia sumir do mapa.

— Inimigo? Que inimigo?

— Esse aqui.

O *boy* apontou para Lacerda, sob o olhar de reprovação do despachante, que pressentia mais um problema sendo criado por Gregório Fortunato, o fraco abusado. Darcy Ribeiro chamou o líder da Brizolândia:

— Ivan! Dá uma chegada aqui, por favor.

— Ivan, o Terrível? — perguntou Lacerda.

— Ivan. Terrível é por sua conta.

— Impressionante como esses pacifistas gostam de homenagear os ídolos sanguinários do stalinismo.

— Pelo visto você não perdeu essa mania de inventar histórias sobre os outros, Lacerda. Cada vez acredito mais que é você mesmo.

O brutamontes chegou à roda e foi questionado por Darcy:

— Ivan, querido. Houve algum problema com esses dois cidadãos aqui?

— Probleminha, professor. Já resolvemos, não se preocupe.

— O que houve?

— Estavam difamando o nosso engenheiro Leonel de Moura Brizola aqui na Cinelândia. Sabe como é: passa muita gente ali, alguém podia acreditar nas mentiras deles. Mas já cortamos pela raiz.

— Que eu saiba eles estavam apenas lendo uma entrevista no *Jornal do Brasil* — interveio Lacerda.

— Ninguém lê jornal em voz alta no meio da rua. Era comício. Mas tenho que reconhecer, senhor Lacerda: seus amigos mostraram que têm palavra. Eu respeito quem tem palavra.

— Muito obrigado, professor Darcy Ribeiro. Seu bom selvagem acaba de garantir que esses dois trabalhadores poderão ir e vir na praça pública sem pagar pedágio a nenhuma gangue. É um show de civilidade.

— Selvagem é o capitalismo que você defende, Lacerda. E mesmo você não se interessando pelo meu alerta, vou concluir: é esse sistema que vai te engolir. Ele já tá comprometido com outras forças, meu caro governador. O seu tempo passou, você esperou demais. Agora aquela elite que você cultivou a vida toda, sonhando reinar pra ela, está em outra. Você não é mais a solução. Você agora é problema.

Darcy saiu andando e deixou a recomendação para que Ivan escoltasse Lacerda até a saída da Câmara de Vereadores e o colocasse dentro de um táxi. Avisou que não queria incidentes na travessia do ex-governador da Guanabara pelo público brizolista, nem qualquer hostilidade que o colocasse fisicamente em risco.

Mas no que o antropólogo se afastou, um homem de gravata se colocou na frente de Lacerda. Se apresentou como oficial de justiça. Trazia uma intimação da Câmara dos Deputados para que o ex-governador prestasse depoimento sobre sua invasão do plenário usando a identidade de um cidadão com atestado de óbito emitido em 21 de maio de 1977. Lacerda achou que era o momento de usar a escolta oferecida por Darcy Ribeiro. Deu o comando:

— Podemos ir, Ivan.

Como um soldado que tivesse recebido a ordem de um general, o batedor da Brizolândia puxou Lacerda pelo braço e teria passado por cima do oficial de justiça se ele não tivesse dado um salto para o lado. Outros três gigantes de vermelho completaram a blindagem que conduziu o "inimigo" numa espécie de cápsula humana até dentro de um táxi na Avenida Rio Branco.

Por inércia, Gregório Fortunato e o Aspone acompanharam o bonde de Ivan e acabaram entrando também no táxi. Lacerda ficou sem ação. Não teve iniciativa suficiente para dizer-lhes que agora cada um seguiria o seu caminho.

Quando as portas do carro se fecharam, com a proximidade física no ambiente pouco espaçoso, ficou claro que um dos seus acompanhantes, ou talvez os dois, não caprichara no desodorante.

— Rapazes, obrigado pela companhia. Vocês ficam aqui no Centro mesmo? Onde querem saltar?

Os dois olharam para Lacerda com cara de cachorro perdido na mudança. Só então o ex-governador teve a percepção exata do que se passava: quem estava naquele táxi com ele era o povo. Quem subira a serra atrás dele, quem o levara para o palácio, quem lhe trouxera a repercussão da sua entrevista e brigara por causa dela, enfim, quem comprara o seu barulho eram esses dois modestos e legítimos elementos do tal conjunto difuso que o idioma codifica como povo.

Sentindo-se bem por ter enfim ligado o nome à pessoa, Lacerda corrigiu o rumo da prosa:

— Está decidido: vocês vêm comigo. Vamos continuar a conversa sobre o Brasil longe da Brizolândia.

Jennifer e Roy Vannata estavam morando num casarão no Alto da Boa Vista, com três filhos pequenos. Lacerda tinha se mandado para Brasília sem consultar ninguém. Juscelino fora o único envolvido no plano — exclusivamente para pilotar o táxi até a capital. Acabou envolvido também na fuga do Congresso Nacional e na operação para fisgar a entrevista com Castelinho.

Mas Donald Kalmar Jr. não sabia de nada até receber na Flórida um fax de Roy Vannata com a reprodução da Coluna do Castello.

Enfurecido, o empresário pediu a Roy que localizasse imediatamente o hotel em que Lacerda estava hospedado. Antes do fax com a entrevista, seu assistente transmitira a notícia de que um homem invadira a Câmara dos Deputados após a promulgação da Constituição de 1988 e discutira com Ulysses Guimarães se apresentando como Carlos Lacerda.

Donald não tinha a menor dúvida de que era de fato seu amigo quem estava lá. Especialmente porque vinha acompanhando a inquietude de Lacerda com o triunfalismo em torno do trabalho da Assembleia Constituinte, que ele considerava equivocado em vários aspectos. Mas se sentira traído pelo impulso insano do amigo.

O combinado era que ele reapareceria após a eleição presidencial de 1989, no terreno mais seguro de um país devolvido à representação direta da sociedade. De repente, após onze anos de parceria na clandestinidade, chegava aquela notícia tresloucada da reaparição de Lacerda em Brasília, com invasão do Congresso e entrevista bombástica. Tudo isso sem lhe dizer uma palavra. Era o fim da linha.

A missão de Roy Vannata era localizar Lacerda para informá-lo de que a amizade com Donald estava encerrada.

Sem conseguir nenhuma pista do paradeiro do ex-governador em Brasília, Roy pegou o carro e subiu a serra de Petrópolis. Na chácara conseguiria a informação. Mas não encontrou Juscelino, que tinha ido também para a capital. Carolina estava desaparecida. Marilyn Monroe disse não saber de nada, nem de ninguém. E tio Benjamin estava desacordado ao lado de uma garrafa de conhaque vazia.

Vannata desceu a serra de mãos abanando e ligou do escritório da empresa para a Flórida. Perguntou ao chefe se queria que ele pegasse um voo para Brasília. Donald respondeu que não.

Seu tom de voz estava diferente, mais calmo. Contou ao assistente que, enquanto ele subia e descia a serra, resolvera tentar domar os nervos e ler a entrevista de Lacerda a Carlos Castello Branco — o que a princípio se negara terminantemente a fazer.

Agora estava relatando a Roy que o resultado da leitura tinha sido "catastrófico".

— Achou tão ruim assim a entrevista, dr. Donald?

— Pior que isso, Roy. Gostei da entrevista.

— O que foi catastrófico então, chefe?

— Catastrófica foi a minha reação. Terminei a leitura achando que o Carlos tem que se candidatar a presidente. Ou seja: sou tão maluco quanto ele. Ou mais.

Em menos de 24 horas, a missão de localizar Lacerda para romper com ele se transformara na preparação do jatinho para discutir pessoalmente com o amigo, no Brasil, a maior campanha política de sua vida.

Quando o ex-governador, o despachante e o *boy* chegaram ao casarão de Roy e Jennifer no Alto da Boa Vista, Donald já estava lá.

— O certo era eu te dar um soco na cara, Carlos.

— Então aproveita que eu já estou sem óculos.

— O que houve com seus óculos?

— Foram pisoteados na Brizolândia.

— Brizolândia?! Onde você se meteu dessa vez, seu alucinado?

Donald fez a pergunta olhando de cima a baixo para o despachante e o *boy*, que vinham logo atrás com suas figuras patéticas e seus desodorantes vencidos.

— Estou vindo de uma grande missão, meu amigo. Deixa eu te apresentar o Gregório Fortunato e o Aspone, guerreiros do novo Brasil.

O empresário lançou um olhar de desespero para Roy Vannata, que dessa vez ficou sem ação. Se pudesse daria uma marcha à ré no seu jatinho para a Flórida, colocaria um concerto de Mozart no videocassete e tomaria as doses de uísque que fossem suficientes para apagar definitivamente da memória as últimas horas da sua vida.

Mas como sua fortuna ainda não comprava passe de mágica, teve que ficar ali mesmo, vendo Roy oferecer sutilmente um banho aos dois bravos integrantes da tropa de choque lacerdista.

— Que história é essa de Gregório Fortunato, Carlos?! — explodiu Donald assim que o *boy* e o despachante saíram de cena rumo ao chuveiro. — Você agora deu pra fazer piada com a sua própria desgraça? Que figuras estranhas são essas?

Lacerda fez a atualização completa dos acontecimentos. Em menos de meia hora resumiu os encontros vertiginosos com Ulysses, Castelinho e Brizola. Donald abortou a descida ao inferno e embicou de novo para o céu, vibrando como um garoto com a saga-relâmpago Congresso Nacional-Jornal do Brasil-Cinelândia. E pediu silêncio para ler um trecho da entrevista do amigo ao JB:

— "Se a classe política se abraça a uma suposta redemocratização proclamada com 'ódio e nojo', naturalmente se abre um espaço para quem oferecer pragmatismo em lugar de demagogia."

Dobrou o papel do fax, levantou os olhos e declarou:

— Nenhum dos atuais presidenciáveis é capaz de um pensamento certeiro como o que está contido nessa frase que acabei de ler. Carlos Lacerda, o Brasil precisa de você na Presidência da República.

* * *

Juscelino Kubitschek dos Anjos subiu a serra de Petrópolis com uma passageira diferente: a dona de casa Maria José, mais conhecida como dona Diamantina — sua mãe.

Terminaram de ouvir o debate entre Brizola e Lacerda já no rádio do carro, alguns minutos depois da declaração que abalara Juscelino — e que não tinha sido feita por nenhum dos dois políticos: sua mãe anunciava, do nada, que daquela vez ia sair de Duque de Caxias com ele para conhecer sua "outra vida".

Dona Diamantina só fazia o que queria. Mas para querer uma coisa tão oposta a tudo o que fizera nos últimos onze anos, dois fatores haviam sido determinantes: o discurso incisivo do tio Benjamin sobre quem era, na verdade, Juscelino, e a explicação do filho sobre a Frente Ampla e a perseguição política aos três integrantes dela.

Na visível mudança de comportamento de Juscelino desde o dia 21 de maio de 1977, não tinha sido só a descoberta do nome "Carolina" num colar de havaiana que fizera Diamantina "excomungá-lo". Uma possível relação fora do casamento era sim, para ela, indesculpável. Mas a tal Carolina tinha sido só a gota d'água.

Os ex-presidentes Vargas e Kubitschek eram objetos da devoção de Diamantina. Sua escola moral — ou o "trilho", como chamava — não era uma cópia do ideário getulista ou juscelinista. Mas tinha essas duas entidades numa espécie de altar. O respeito à dona de casa da Baixada e aos seus princípios passava pelo respeito a esses dois cardeais da política nacional — especialmente JK, que dera nome e sobrenome ao seu único filho.

Diamantina nunca exigira militância política em casa, até porque ela própria não era disso. Mas no período em que o comportamento do filho começou a ficar diferente, mais ausente e dissimulado, com os olhos frequentemente fugindo dos dela, captou a existência de outro "trilho" confundindo a personalidade de Juscelino. Dona Diamantina não sabia de Lacerda. Mas pressentia.

A régua moral de mãe era férrea e não dependia de político nenhum. Saiu da linha, perdeu. Com ela não tinha "mas", "talvez", "veja bem". Caráter não tem ginga — era uma de suas tiradas terminais. O apelo contundente do tio Benjamin não sacudira a rocha, mas acendera uma luz sobre ela. E a informação de Juscelino sobre o diálogo Lacerda-Jango mexera no dogma. Diamantina sempre preferira ser injusta do que omissa, mas era hora de pagar para ver.

O irmão desregrado e alcoólatra tinha soado como a voz da razão. Ao acusá-la de virar as costas para o filho ("um homem bom") e assim contribuir para que ele se perdesse na vida, Benjamin acertara no alvo. O problema era que a razão para a encruzilhada existencial de Juscelino era um assassinato — cometido pela Carolina do colar de havaiana.

Como levar a mãe para conhecer sua "outra vida", se a única coisa que lhe importava no momento, em qualquer das vidas, era encontrar a mulher que o tirara de casa e que matara um homem?

— Que carro é esse, Juscelino? Cadê o seu táxi?

— Tá na oficina, mãe. Aluguei esse enquanto o outro conserta.

— Se já for começar com mentira, eu salto desse carro agora e nunca mais olho pra sua cara.

Com a desagradável sensação de que a mãe enxergava dentro da sua cabeça, Juscelino tentou ponderar:

— Tem coisas que a senhora não vai entender, mãe.

— Não entendo de carburador, amortecedor e suspensório. O resto eu entendo.

— Suspensão.

— É, suspensão. Suspensão é suspense grande. Você faz muito suspense. Você é uma novela, Juscelino.

— Eu não queria chatear a senhora com assunto complicado.

— Complicado é você. Para o carro que eu vou saltar. Se não parar, eu salto com ele andando mesmo.

— O meu táxi tá em Brasília.

Dona Diamantina ficou em silêncio. Juscelino virou estátua. Sua cabeça passou a girar a mil por hora. E o pior era que sua mãe devia estar vendo todos os pensamentos girando, porque via tudo.

O melhor era não fazer mais suspense. Já tinha levado cartão amarelo. Ela ia perguntar o que o táxi estava fazendo em Brasília. Ele tinha que decidir rápido se contava toda a verdade, meia-verdade ou uma mentira com fundo de verdade.

Mas Diamantina não perguntou nada.

Passaram o resto da viagem mudos. Não tinham mais nem o rádio, que fora perdendo o sinal na passagem da Rodovia Washington Luiz para a subida da serra. O som foi ficando baixo e cheio de ruídos, mas o motorista não tinha coragem de tocar no botão e decretar o silêncio total a bordo. Até que sua mãe ordenou: "desliga essa chiadeira".

Aí a cabeça de Juscelino passou a girar mais rápido ainda:

Onde será que a Carolina tá?

Como eu vou procurar a Carolina com a minha mãe do lado?

Por que ela veio comigo?

O que ela quer saber?

Por que ela não perguntou sobre o táxi em Brasília?

Será que ela já sabe de tudo?

Será que ela veio matar o Lacerda?

Será que ela tá com uma faca na bolsa?

Será que o Lacerda vai voltar pra chácara?

Será que eu aviso pra ele não voltar?

Como é que eu vou fazer pra avisar, com a dona Diamantina do meu lado?

Por que ela não deixou o tio Benjamin vir com a gente?

Será que ela já sabe que a Carolina cometeu um crime?

Se ela não souber, será que é melhor eu contar logo?

Ou digo que aconteceu um crime sem dizer quem matou?

Se não vou dizer quem matou, pra que contar que aconteceu um crime?

Será que ela tá ouvindo o meu pensamento?

Será que é melhor eu parar de pensar antes que ela ouça?

Juscelino deu uma olhada de rabo de olho para a mãe. Ela não só não estava olhando para ele, como tinha fechado os olhos. Parecia estar cochilando. Aliviado, ele continuou a pensar:

Será que dona Diamantina vai me perdoar?

Ou vai me denunciar?

Será que vai ser um desses casos da mãe que entrega o filho fora da lei?

Vai dizer que quem ajuda a esconder um fugitivo é cúmplice?

Será que ela veio comigo pra se vingar e entregar a Carolina à Justiça?

E se eu ligar pro tio Benjamin e pedir pra ele vir pra cá acalmar a dona Diamantina?

Será que ele tem dinheiro pro ônibus?

Será que acerta o caminho?

Será que dona Diamantina bota ele pra correr?

Pensar em pedir ajuda ao tio Benjamin é o fim da linha?

Será que a Carolina voltou pra Juiz de Fora?

Será que eu volto pra Sarah?

Não seria melhor ficar em Caxias com meus filhos indo a São Januário ver Dinamite e Romário?

Se pegarem o Lacerda, eu volto a ser chofer de praça?

Se o Lacerda for candidato, eu vou ter que fazer campanha?

Se eu fizer campanha pro Lacerda, minha mãe me mata?

* * *

— Você tem que voltar pra chácara, Carlos.

A declaração de Donald na contramão do seu próprio discurso de lançamento da candidatura de Lacerda desconcertou a todos no casarão do Alto da Boa Vista. Como ser um presidenciável escondido? O ex-governador repeliu a ideia:

— Nada disso. Chega. Não volto pra aquele buraco. Seja o que Deus quiser.

— Desculpe me intrometer, governador — arriscou o Aspone, agora cheiroso. — Acho que o Mickey tá certo.

— Donald — corrigiu Lacerda.

— Isso. O Donald. O senhor lembra o que o professor Darcy Ribeiro falou depois do debate?

Lacerda lembrava, mas desconversou. Só que Donald não deixou o assunto escapar:

— Que história é essa, Carlos? Teve comício particular do Darcy Ribeiro ainda por cima? Era só o que faltava. O que o antropólogo das estrelas nos ensinou dessa vez?

— Nada de mais, Donald. Nem me lembro.

— Mas na hora o senhor não perguntou se ele tava fazendo uma ameaça? — interveio Gregório Fortunato, testemunha ocular da história.

A pergunta do *office boy* deu a Donald a certeza de que o aliado de Brizola de fato dissera algo significativo a Lacerda — e, pelo visto, grave. O empresário se irritou:

— Ora, Carlos! Não seja infantil! Isso é muito sério. Conta essa história direito.

— O Darcy até me ajudou a entrar no Palácio, Donald. Ninguém me reconhecia porque eu perdi os óculos. Devo essa a ele.

— Sei... E lá dentro do Palácio? O que ele te falou? Não fica achando que vai escapulir.

— Que escapulir? Eu sou lá homem de escapulir? Estou falando, foi uma conversa cordial. No final a gente foi até escoltado pelo Ivan, o Terrível.

— Ivan, o Terrível? Que isso?

— Tô mentindo, Gregório?

O *boy* abanou a cabeça dando a confirmação pedida por Lacerda. Donald se impacientou:

— Bom, se você não quer falar, vou ter que entrevistar os seus assessores.

Gregório Fortunato e o Aspone ficaram gigantes com a súbita patente de "assessores". Mas não precisaram dar entrevista. Lacerda se rendeu:

— Tá certo. O Darcy realmente fez lá a firula dele. Disse que a minha reaparição seria "um problema pro sistema" ou uma bobagem assim.

— Uma bobagem. Sei. E o sistema faria o que com esse "problema"? Botaria no colo e daria um leitinho pra ele? O que o professor Darcy Ribeiro acha?

— O Darcy é dramático, Donald. É mais poeta que político, todo mundo sabe.

— Já entendi. Ele disse que o sistema vai eliminar o "problema" Carlos Lacerda. Acertei?

— Foi isso mesmo, doutor — avalizou o Aspone, sem que ninguém tivesse lhe perguntado nada.

— Pois é — prosseguiu o empresário. — Nem todos se esqueceram de Tancredo Neves, Juscelino Kubitschek e João Goulart.

— Não tem nada a ver uma coisa com a outra — reagiu Lacerda. — É outro momento.

— É. Outro momento. Um momento em que as velhas forças do Estado Profundo estão se rearranjando com as novas, debaixo do bigode do Sarney e do verniz da "Constituição Cidadã". Quem acha que um Lacerda não ameaça essa coreografia pode voltar pro jardim de infância.

— Ameaçar politicamente é uma coisa. Virar alvo pra chumbo grosso é outra.

— Tudo bem. Não sabemos o calibre. Mas qual é o mal de voltarmos pro mato e observarmos em segurança os desdobramentos desse barulho que você fez? A única testemunha do seu esconderijo está morta.

— Eu falei na entrevista onde eu estava escondido.

— Não devia ter falado. De qualquer forma, você se referiu a uma região. O seu esconderijo é num par de cômodos de caseiro nos fundos de uma chácara, cuja casa principal está ocupada por outras pessoas como fachada. Mesmo assim, se os meus seguranças detectarem alguma movimentação suspeita eu arranjo outro esconderijo pra você. Tudo menos assistir de braços cruzados o meu amigo tombar como JK, Jango e Tancredo.

Dessa vez Lacerda não retrucou. Fez o movimento automático de ajeitar os óculos, como se quisesse preencher a pausa de alguma forma, mas eles não estavam no rosto. Todos notaram a ação patética.

Timidamente, o Aspone levantou o dedo indicador, como se fosse um colegial pedindo a palavra em sala de aula. Só foi notado por Jennifer, que fez o papel da professora primária:

— Você quer falar alguma coisa?

O "aluno" balançou a cabeça afirmativamente, mas continuou calado. Roy Vannata usou as credenciais de dono da casa:

— Pode falar, amigo. Não precisa fazer cerimônia.

— É que é sobre uma coisa que não tenho certeza...

Lacerda fez uma expressão de impaciência com o papel das suas "testemunhas" na reunião. Donald estava na linha oposta:

— Não tem problema, rapaz. Aqui você pode falar o que quiser.

— Obrigado, seu Mickey.

— Donald.

— Desculpe. Obrigado, seu Donald. Bem... É o seguinte. Como todos aqui sabem, eu sou despachante. Mas tenho meu jeito de observar as pessoas. Minha avó Carminha dizia: esse menino é observador. Vai ser detetive! Bom... Como todos aqui também sabem, eu não sou detetive. Mas sou atento. Ou, como dizia a vó Carminha, observador...

— Vai no ponto, Aspone — cortou o *boy*, percebendo que as luzes da ribalta estavam transformando o despachante em palestrante. Ele não gostou de ser interrompido pelo colega de patente mais baixa:

— Fala você, então, Gregório Fortunato.

— Eu? Não tenho nada pra dizer, não, parceiro.

— Pode continuar, querido — interveio Jennifer, pacificando a classe. — Você estava dizendo que é um bom observador. O que você observou?

— Não é que eu seja um bom observador. Mas eu observo as pessoas...

— O que você viu? — interrogou Donald, mais incisivo.

— Aí é que tá. Eu não sei se eu vi...

O empresário suspirou. Roy entrou no interrogatório:

— Ok. O que você acha que pode ter visto?

— Um espião.

Donald saltou:

— Hein?! Que espião? Onde?

— Na Câmara de Vereadores. Quando o debate terminou, o doutor Lacerda foi cercado por uns repórteres que estavam lá. Aí um fotógrafo ficou rodeando ele. Bateu foto de tudo que é jeito. De longe, de pertinho, de cima, de baixo. Como falei, eu observo as pessoas. Achei esquisito aquele cara. E agora? Falo com ele? Isso era eu pensando comigo mesmo, né? Fala, pô. Tem que falar. Fui lá. Perguntei de que jornal ele era. O cara não respondeu. Esquisito demais. Perguntei se era de revista. Nada. Aí puxei ele pelo braço e perguntei: "Tu trabalha aonde, companheiro?". Ele respondeu: "Tira a mão de mim. Não é da tua conta", e saiu andando rápido. Foi isso.

A palestra do Aspone, que parecia que ia durar para sempre, terminou de repente e deixou o casarão do Alto da Boa Vista em silêncio. Quem quebrou a pausa foi Donald:

— Sua avó Carminha tinha razão. Você é um bom observador. E a sua desconfiança é a minha certeza: era um espião. Carlos, te acordo às 5 da manhã. Vamos pra chácara.

* * *

Juscelino entrou na chácara com dona Diamantina preocupado com o silêncio dela. Queria ter o seu dom de entrar na mente alheia. E tentava espantar o seu próprio pensamento, para que ela não o lesse: precisava chegar a um orelhão e se certificar de que Lacerda não voltaria à chácara.

Precisava também iniciar as buscas por Carolina — e o ponto de partida era, obrigatoriamente, Marilyn Monroe. O jeito era convidar sua mãe a ir ao bar da falsa loira para comer alguma coisa. E arranjar uma brecha para falar a sós com Marilyn sobre o paradeiro de Carolina. Ou, pelo menos, tentar saber se ela estava bem.

Além dos vestígios do tio Benjamin — copos, cartas de baralho e jornais espalhados —, a casa principal da chácara tinha sinais evidentes de presença feminina. Mas Diamantina não perguntava. Nem falava nada sobre nada.

Nos aposentos de caseiro ocupados por Lacerda estavam os objetos do ex-governador, que incluíam livros e notícias sobre ele, além de exemplares da *Tribuna da Imprensa*. Era imperativo evitar que a mãe fosse até lá, e o álibi já estava pronto: as chuvas do verão de 1988, as mais intensas da década na região, tinham deixado a área dos fundos do terreno sujeita a desabamentos.

Nem a Defesa Civil conteria a fúria de Diamantina se ela adentrasse o esconderijo de Lacerda. Pelo menos esse era o cálculo do taxista atormentado.

Mas seus cálculos sobre sua mãe andavam falhando. E mais uma vez a postura dela o surpreendeu: não fez reconhecimento de terreno, não perguntou se era ali que o filho vivera nos últimos dez anos, não recriminou nada no ambiente bagunçado. E aceitou de pronto o convite para irem ao bar.

Lá chegando, Juscelino apresentou dona Diamantina a Marilyn Monroe, pediu duas canjas e se levantou dizendo que ia ao banheiro — sendo que acabara de ir ao banheiro na chácara, mas a mãe estava deixando passar tudo. Correu até o orelhão mais próximo e ligou para a casa de Roy Vannata.

O Aspone atendeu e informou que já estavam todos recolhidos. Juscelino achou que fosse um empregado da casa e não quis importunar Roy, que tinha filhos pequenos e dormia cedo. Ligou para o tio Benjamin em Caxias.

— Tô aqui na pior, sobrinho. A Tina me deixou sem um tostão. Seu pai e seus filhos são muito chatos, ninguém bebe. Quando você vem me buscar?

— Vou te buscar em breve, tio Benjamin. Mas presta atenção: preciso que você fale com o Lacerda e descubra o que ele pretende fazer, ok?

— Ah, sobrinho. Essa é moleza. Ele pretende se candidatar a presidente.

— Quem falou isso?

— O Aspone. Ele tá colado com o homem. Me disse até que vai ser o porta-voz, se o Lacerda for eleito.

— Tio Benjamin, isso é sério: o Lacerda vai começar mesmo a campanha? Será que ele não vem mais pro Rocio?

— Duvido que ele volte pra esse buraco. Agora é bye, bye, Brasil, sobrinho.

Juscelino desligou o telefone confuso e aliviado.

Voltou para o bar e não encontrou a mãe na mesa. Procurou-a com os olhos pelo ambiente e avistou-a atrás do balcão. Diante dela, Marilyn Monroe parecia espantada com o que ouvia. Juscelino estava distante demais para ouvir o que dona Diamantina dizia. E se ouvisse, não acreditaria:

— Me leva até a Carolina.

O PROBLEMA DO PETROLEO BRASILEIRO

A CONFERÊNCIA, HOJE, DO SR. CA DE LACERDA

Por iniciativa do "Centro dos Universitários Paraibanos", o jornalista Carlos de Lacerda pronunciará, hoje, ás 20 horas, num dos salões do Palacio da Justiça, uma conferência sôbre o problema do petróleo brasileiro, assunto de suma importancia e que se prende ao interesse geral.

O jornalista Carlo ade
da se faz acomp
representa

Ao desembarque do
ta brasileiro, compe
membros da diretoria do
dos Universitários, e rep
tantes da imprensa local.

A conferencia será franq
ao publico.

ero avulso
$ 0,50

Brizola continua candidato e convoca comício contra parlamentarismo

Banco de Dados

Da Sucursal do Rio

O ex-governador do Rio e presidente nacional do PDT, Leonel Brizola, decidido a se candidatar à Presidência independentemente do sistema de governo e duração do mandato presidencial a serem aprovados pelo plenário do Congresso constituinte, disse ontem à Folha que gravará hoje o programa de televisão do partido que irá ao ar em cadeia nacional no próximo dia 20. Brizola, 66, disse que no programa fará uma convocação para o comício do PDT e do PT marcado para o dia 11 de dezembro, na Cinelândia (no centro do Rio), contra o parlamentarismo.

Em entrevista exclusiva, às 17h, Brizola comparou a aprovação de um mandato de quatro anos para o presidente José Sarney ao caso de Watergate, no qual o Congresso norte-americano forçou a renúncia do presidente Richard Nixon em 1974. "A diferença é que Nixon teve apenas 48 horas para sair e Sarney terá um ano e alguns meses", disse o ex-governador. Observou, porém, que se o parlamentarismo for confirmado para vigorar a partir de março a diferença entre a situação de Nixon e a de Sarney "será menor".

Brizola não acredita, no entanto, que Sarney já esteja derrotado: "aparentemente ele se conformou, mas é apenas uma tática. Sarney vai desencadear agora todo um processo de articulações e, principalmente, pressões que exercerá sem qualquer escrúpulo e se defrontará com um PMDB enfraquecido pela falta de autoridade moral por ter desfechado um golpe contra o povo". Brizola considera a implantação do parlamentarismo sem plebiscito "uma cassação dos direitos do povo pelo Congresso, uma ditadura pior do que ...itucionais".

Brizola anunciou a realização de um comício contra o parlamentarismo

Numa avaliação das frequentes declarações de políticos e autoridades sobre riscos de um golpe militar, Brizola declarou-se "persuadido de que um forte sentimento legalista se desenvolveu ultimamente entre os militares. Eles estão convencidos de que o melhor é a sociedade civil definir as instituições", afirmou.

"Nesse meio tempo", disse, "haverá mobilização nas ruas. Após o comício do dia 11, no Rio, faremos outros (ainda sem datas) em São Paulo, Belo Horizonte, Porto Alegre e Recife, todos no mês de dezembro". No dia 24 de dezembro, Brizola fará palestra sobre a conjuntura e o processo constituinte, na Federação das Indústrias do Rio Grande do Sul, em Porto Alegre.

No programa que grava hoje para a TV, Brizola voltará a condenar o atual modelo econômico, que no seu entender seria reforçado pelo parlamentarismo. Apesar do internamento do deputado Ulysses Guimarães, o ex-governador será implacável com o PMDB e com o presidente Sarney, acusando-os de co-responsáveis pela crise.

Criticará ainda a volta do Brasil ao Fundo Monetário Internacional (FMI), a política salarial e a ação das multinacionais no país. A decisão de gravar hoje o programa de TV foi tomada em reunião da cúpula do PDT na noite de segunda-feira, quando foi definido também o comício da Cinelândia.

GOSTOU DA CASA, MÃE?

ÀS SEIS DA MANHÃ CARLOS LACERDA E DONALD KALMAR JR. ENtraram na van pilotada por Roy Vannata. Quando saíam da garagem do casarão no Alto da Boa Vista com destino ao Rocio, o Aspone surgiu do nada e pulou na frente do carro.

Ele e Gregório Fortunato já tinham se despedido de todos. O combinado, a partir de uma determinação de Donald, era que a dupla voltaria para o Centro da cidade e retomaria suas atividades de despachante e *office boy*. Só Lacerda e Donald ficariam na chácara, com eventual suporte de Roy. Precisavam de paz e concentração para avaliar o cenário político, a possível candidatura presidencial de Lacerda e acima de tudo os riscos pessoais que ele corria. Era sobre isso que o Aspone, esbaforido, vinha falar.

— Acabei de ver da janela! Era ele, tenho certeza!

— Ele quem, homem? — reagiu Roy sobressaltado, depois de ter que pisar forte no freio para não atropelar o Aspone.

— O fotógrafo! Aquele da Cinelândia! O sacana tava espionando a sua casa, seu Roy!

Donald e Lacerda se entreolharam. Roy deu marcha à ré, estacionou novamente na garagem e saltou do carro. Anunciou que faria uma busca pelos arredores. Convocou o Aspone e Gregório para acompanhá-lo, na tentativa de identificar o fotógrafo espião.

O empresário e o ex-governador não desembarcaram. Passaram a discutir se abortavam a volta para Petrópolis, uma vez que agora poderiam estar sendo seguidos.

Vannata retornou dizendo não ter encontrado o tal fotógrafo, nem qualquer figura suspeita. Donald bateu o martelo: seguiriam para o Centro e trocariam de carro na garagem do escritório da sua empresa.

Assim foi feito. A van foi trocada por dois carros de passeio. No da frente iriam Roy, Donald e Lacerda. No de trás, dois seguranças armados. O despachante e o *boy* estavam liberados.

— Mas quem é que vai identificar o fotógrafo espião se ele reaparecer? — objetou o despachante, se convidando para continuar na missão.

O empresário e seu braço direito conferenciaram rapidamente sobre o assunto, na garagem mesmo, e deliberaram: o Aspone subiria a serra no carro dos seguranças.

Na chácara do Rocio, Juscelino também estava saindo às pressas. Ao levantar de manhãzinha para ir ao banheiro, vira aberta a porta do quarto onde alojara dona Diamantina. Foi até lá e constatou que a mãe não estava. Não a encontrou em nenhuma outra parte da casa. Ela tinha simplesmente desaparecido.

O taxista disparou para o bar da Marilyn e espancou a porta. Um servente que estava fazendo a faxina disse que a loira não estava. Juscelino não acreditou e invadiu o bar, indo até o pequeno quarto dos fundos onde ficava a cama da balconista. Não tinha ninguém lá.

O faxineiro informou que Marilyn tinha saído antes de o sol raiar e não informara o destino.

* * *

Num casebre no meio do mato, numa das montanhas gélidas de Petrópolis, Carolina acordou com o som de passos muito próximos. Pulou do colchonete, alcançou seu facão e ficou à espreita, tentando enxergar por uma fresta de madeira apodrecida quem se aproximava.

— Pode baixar a arma! — gritou de fora Marilyn Monroe. — Trago uma visita ilustre para a srta. Presley: a mãe de Elvis!

Pelo seu precário observatório, Carolina vislumbrou a falsa loira acompanhada em passos firmes por uma senhora baixa, de pele escura e semblante forte que lembrava as etnias da Ásia morena. Era a "indiana" mineira, a juscelinista de Caxias, a temida dona Diamantina.

Dois sentimentos assaltaram Carolina Presley: o primeiro de surpresa, tentando conceber como Juscelino podia ser tão grande com uma mãe tão pequena; e o segundo de perplexidade, tentando imaginar como Marilyn tinha aberto o segredo do seu esconderijo para uma pessoa que só podia detestá-la — afinal, ela era a mulher que "desviara" seu filho.

— Carol, a dona Diamantina é uma bruxa. Por isso eu tive que mostrar a ela onde você tá.

Enquanto olhava para a mãe de Juscelino sem saber se a cumprimentava ou se esperava algum gesto dela, Carolina tentava decodificar a mensagem introdutória de Marilyn. Seria "bruxa" uma forma cifrada de dizer que a "princesa" tinha perdido e a casa tinha caído? Será que atrás das duas apareceriam homens para buscá-la? O jeito foi perguntar:

— Bruxa? Como assim?

Diamantina permaneceu parada na porta do casebre em silêncio, sem cumprimentar Carolina. Marilyn explicou: a mãe de Juscelino soubera do crime do Rocio. Soubera também que junto aos pertences do corretor de imóveis esfaqueado aparecera a referência a uma Carolina — mesmo nome que ela encontrara num colar de havaiana do filho, que por sua vez lhe dissera estar atendendo um cliente na região de Petrópolis. Aí seu irmão Benjamin aparecera dizendo que Juscelino estava perdido e precisando de ajuda.

Ao chegar ao bar e ver Marilyn cortando um limão para preparar uma caipirinha, Diamantina notara que ela manejava bem uma faca. E a primeira coisa que lhe dissera ao contornar o balcão fora reveladora de poderes especiais: "Você fez muito bem em ensinar a Carolina a se defender com uma faca".

A balconista nem tentou negar. E sabia que também não se deve negar nada a uma bruxa quando ela pode vir a ser uma aliada.

A explicação insólita, talvez sobrenatural, para a súbita presença de dona Diamantina na sua frente deixou Carolina entre a perplexidade e o alívio. Não acreditava em bruxas, mas sabia que só uma bruxa seria capaz de uma conversão tão rápida. Passara os últimos dez anos temendo a sombra da mãe de Elvis e se sentindo uma criminosa pela vida paralela do taxista.

Agora a conhecia da forma mais inusitada, deixando de se sentir criminosa justamente quando cometera um crime. Parecia mesmo bruxaria.

— Por que você matou o homem?

Ouvir pela primeira vez a voz de dona Diamantina não foi uma experiência boa para Carolina. A pergunta ríspida era um detalhe. O problema era o timbre imponente e cortante. Para piorar, quando a boca se abria, os olhos faiscavam. Agora a mãe de Juscelino já não parecia pequena. E ficava mais clara a razão da gigantesca influência que tinha sobre o filho.

Mais uma vez, a gata acuada sentiu que a única saída era avançar. Devolveu a pergunta de interrogatório com outra:

— Por que a senhora veio até aqui?

A rebatida fez efeito na fera. Diamantina pareceu ter gostado de ver as garras de Carolina. Era para isso que estava ali:

— Vim aqui te conhecer.

— Logo agora?

A nova estocada não constrangeu a visitante:

— Você não vai me convidar pra entrar?

— Eu adoraria tê-la recebido na minha casa. Tivemos uma década pra isso. Agora estou escondida, então pra mim tanto faz.

— Você sempre esteve escondida.

Marilyn Monroe sentiu que era o momento da intervenção diplomática. Como balconista de bar, tinha boa experiência na mediação de conflitos.

Puxou dona Diamantina para dentro do casebre, levou-a até um toco de árvore transformado em cadeira e entregou a Carolina o maço de cigarros encomendado por ela. Como sempre acontecia, após o primeiro trago a srta. Presley arrumava melhor a mente:

— Matei um homem que ia me estuprar. E como a senhora deduziu, fui treinada pra isso.

— Então ele estava te perseguindo há muito tempo?

— Há anos. Era um chantagista. Conseguimos neutralizar a chantagem descobrindo uma das negociatas dele no Rio de Janeiro. Aí entendeu que poderíamos acabar com ele a qualquer momento. Mas o assédio a mim continuou, só quando bebia.

— Um tipo de alcoolismo perigoso porque era quase imperceptível — complementou Marilyn.

— Pois é — continuou Carolina. — Depois reaparecia sóbrio, se desculpava e sumia. Ele sabia que eu conhecia o problema dele. Por um lado, eu tenho até uma certa culpa.

— Por quê? — estranhou Diamantina.

— Tive que seduzir esse cara. Foi quando estávamos armando o bote. Depois virou uma obsessão dele. Não podia mais nos chantagear, mas cismou comigo.

— Chantagear de que forma?

A pergunta de dona Diamantina foi seguida por um silêncio pesado. Carolina olhou para Marilyn, depois para o nada, deu mais um trago e tentou uma evasiva:

— Ah, de várias formas. Um chantagista profissional tem várias formas de chantagear.

Marilyn encarou Carolina dizendo com os olhos o óbvio impronunciável: bola fora. Começou a calcular o preço de se tentar fazer uma bruxa de boba, mas a conta chegou antes do término do cálculo.

— Bom, acho que já está na minha hora — disse Diamantina, com a voz em tom de faca amolada dispensando as palavras e se levantando em direção à saída do casebre.

A falsa loira sabia a hora de ser verdadeira. E concluiu que ali não havia outra saída. Não adiantaria 90% de verdade. Só 100.

— Carol, você é uma pessoa ética. Eu sei que o que você tá fazendo nesse momento é defender essa ética. Mas às vezes a gente tem que fazer escolhas ingratas...

Carolina viu que Marilyn ia dar com a língua nos dentes e tentou falar por cima dela, mencionando seu nome real para dar mais peso:

— Que ética, Marilinha? Isso não tem nada a ver com ética. O que eu quis dizer foi que...

Mas a outra já estava embalada e não freou:

— Carolina, não faz mais sentido a gente não falar pra dona Diamantina do Carlos Lacerda.

* * *

Carlos Lacerda e Juscelino Kubitschek se reencontraram na chácara. Era a primeira vez que se viam desde a missão em Brasília. Lacerda contou animado que tinha estado em contato com o povo e soubera que a sua entrevista ao JB tinha tido grande repercussão. Não chegou a explicar que "o povo", no caso, era o despachante lacerdista que grudara nele — e tinha ido parar na chácara também.

Mas Juscelino confirmou que vira o *Jornal do Brasil* em destaque em tudo quanto era banca da Baixada e nas mãos das pessoas na rua, quando retornou de Brasília para procurar Carolina. Contou também que ouviu boa parte do debate dele com Brizola no rádio.

— Você ouviu?! — se surpreendeu Lacerda. — E aí? Gostou?!

— O senhor estava muito bem, doutor. Mas eu estava preocupado.

— Com as vaias? No rádio deu pra ouvir que eu estava sendo vaiado?

— Eu estava preocupado com a minha mãe. Ela estava ouvindo o debate comigo.

Lacerda fez uma pausa, entendendo o tamanho do problema. Depois tentou continuar a conversa do jeito que dava:

— Ela me xingou muito?

— Não. Ela ouviu quieta. Mas quase no finalzinho ela falou.

A cara de constrangimento do taxista não encorajava o ex-governador a perguntar o que dona Diamantina tinha falado no finalzinho do seu debate com Brizola. A voz tonitruante saiu como um fiapo:

— Falou o quê?

— Disse que vinha comigo pra cá. E veio. Tentei avisar, mas o tio Benjamin disse que o senhor não vinha mais, que já ia começar a campanha pra presidente.

Com a informação bombástica, Lacerda teve o reflexo de olhar 360 graus em torno de si, como se Diamantina pudesse a qualquer momento pular em cima dele com uma faca. A voz saiu quase sussurrada:

— Cadê ela?

— Pois é, doutor. Ela sumiu hoje de manhã. Não sei onde se meteu. Vou procurar. Só não sei o que fazer quando achar.

Uma reunião de emergência foi convocada imediatamente. Quando soube qual era a pauta, Donald protestou:

— Não é possível, Carlos. Estamos aqui pra discutir a sua candidatura presidencial e a sua segurança pessoal.

Juscelino interveio encabulado:

— Minha mãe é questão de segurança pessoal pro doutor Lacerda.

O empresário foi atualizado sobre a personalidade explosiva de dona Diamantina e sua ojeriza ao ex-governador da Guanabara. O taxista acrescentou que nem teria a opção de se afastar do grupo para evitar o contato, porque o objetivo de sua mãe era justamente conhecer sua "outra vida" — ou seja, a República do Rocio.

Autoinserido na reunião como integrante do Estado Maior, o Aspone disse que tinha a solução:

— Com todo o respeito, companheiro Juscelino, deixe a senhora sua mãe comigo. Já converti muitos. O próprio Gregório Fortunato nem queria saber de político e hoje é aliado nosso.

— Gregório Fortunato? — interrogou o taxista, confuso.

— É um homem do povo — enfeitou Lacerda, querendo cacifar o Aspone para a missão diplomática com dona Diamantina.

Juscelino fez uma expressão de desânimo e não falou mais nada. Além do dilema sobre sua mãe, havia Carolina. Onde quer que ela estivesse, sua situação parecia insolúvel. Inclusive porque, com o primeiro reaparecimento público de Lacerda e seus desdobramentos, seria inviável qualquer proximidade daquele grupo com uma suspeita de homicídio.

Donald decretou que estava "resolvido" o Fator Diamantina — menos por confiar nas credenciais diplomáticas do Aspone e mais por querer se livrar da pauta. Era urgente passar ao assunto seguinte: a segurança política de

Lacerda estava diretamente ligada, teorizou o empresário, à credibilidade que ele conseguisse alcançar como opção presidencial na primeira eleição direta após o regime militar.

— Precisamos de um fato novo. Eu quebrei a cara com a entrevista ao Castelinho. Em 24 horas entendi que aquela "insanidade" foi uma jogada de mestre. Parabéns, Carlos. Agora temos que pensar rapidamente na próxima jogada. Qual poderia ser?

No que Donald deixou a pergunta no ar, surgiram sons de passos no jardim. Sobressalto geral. Estavam todos na sala, incluindo Roy e os seguranças. Eles engatilharam as armas e se moveram para perto das janelas, orientando a todos que se deitassem no chão. Até que um dos seguranças anunciou:

— Está tudo bem, podem se levantar.

A porta se abriu e surgiu a figura esquálida de Gregório Fortunato:

— Oi, pessoal. Tenho novidades.

Donald se irritou com a interrupção, inclusive pelo susto associado a ela. Mas o *office boy* parecia ter a resposta exata ao que ele acabara de perguntar.

— Tá uma brigalhada lá na Cinelândia. Acho que o debate inflamou geral. Não é só com os brizolistas, não. Tinha até um cara com megafone gritando assim: "Nem Brizola, nem Lula, nem Ulysses, nem Collor. Pra sair da merda, o voto é no Lacerda!".

Todos gargalharam, mesmo com as ressalvas à rima nada rica. Gregório retomou a palavra dizendo que trazia uma informação:

— Eu vim aqui pelo seguinte: um repórter do *Jornal do Brasil* que tava no dia do debate me reconheceu passando ali em frente à Câmara. Perguntou se eu ainda tinha contato com o Lacerda. Falei que não, que foi só aquele dia, que não me meto com política. Aí o jornalista respondeu: "Que pena. O JB quer entrevistar o Lacerda de novo, mas ninguém tem o contato dele".

Uma corrente elétrica atravessou a todos os presentes, e veio de Roy Vannata a pergunta prática:

— Você disse que não tinha mais contato com Lacerda. Mas pegou o contato do repórter?

— Claro. Eu sou *boy*, porra. Não tô de bobeira.

O lorde Donald Kalmar Jr. estava cada vez mais encantado com os personagens sem classe que tinham encarnado na vida de Carlos Lacerda. Depois de festejar intensamente a oportunidade de ouro que acabara de cair do céu, propôs iniciarem a discussão de quem operacionalizaria a marcação da entrevista.

Entrando suavemente na contramão, Roy pediu licença para fazer o advogado do diabo:

— Vocês não estão achando um pouco estranho esse interesse do JB? Acabaram de publicar uma entrevista de duas páginas, fora a Coluna do Castello na véspera...

— Tá duvidando de mim, companheiro? — encrespou o *boy*.

— De jeito nenhum, Gregório. Só fico pensando o que levaria um jornal que foi bastante pressionado por dar uma notícia considerada, por muitos, duvidosa, a querer em questão de dias voltar a destacar o mesmo personagem.

Donald deu uma murchada e convergiu com a preocupação de Roy:

— Tem razão. É esquisito. Até entre os políticos tem os que duvidam que o Carlos esteja vivo. Aí no meio da polêmica aparece uma nova entrevista no mesmo jornal... Será que o JB se prestaria a isso? Se arriscaria a deixar um monte de gente achando que o jornal entrou numa campanha de "relançamento" de Carlos Lacerda?

— Jornal quer dinheiro, gente — interveio o Aspone, com ar professoral. — Vendeu que nem pão quente, eles querem mais!

O argumento singelo do despachante tocou o empresário liberal:

— Isso também é verdade — concedeu Donald, um pouco desconfortável por estar tão volúvel num fórum bem menos qualificado que os que costumava liderar na Flórida.

— Não sei, não — contrapôs Juscelino. — Ia parecer propaganda. E ia ter gente dizendo até que era propaganda contra a nova Constituição, que o doutor Lacerda andou criticando. Será que o jornal correria esse risco?

— Parceiro, tu é taxista. Eu sou *boy*. Quem roda mais? Eu. Tu virou taxista particular e eu continuo na rua. Essa Constituição aí eu não sei se é boa ou se é ruim. O que eu sei é que o povo quer acabar com a inflação. Quer dinheiro no bolso, e não esse papel que não vale porra nenhuma. Vai congelar de novo? Não vai congelar de novo? A conversa é essa. Ninguém tá nem aí se tem um morto-vivo batendo boca com um vivo-morto sobre um monte de lei que não pega.

— Agora ele ficou mais parecido com o Gregório Fortunato original — cochichou Donald com Lacerda, referindo-se à grosseria do *office boy*.

— E se for uma cilada? — insistiu Juscelino. — Aí quando o doutor Lacerda descobrir vai ser tarde demais.

— Vou resolver isso agora — declarou Vannata, já se levantando. — Gregório, me passa por favor o telefone do jornalista. Vou até o orelhão e já volto pra dizer que história é essa.

O movimento era arrojado, envolvia incógnitas sobre o tipo de conversa que ocorreria e sobre a possibilidade de um americano do Arizona falar sem deslizes em nome de um político brasileiro, mas ninguém se opôs. Em alguma medida estariam se movendo sempre no escuro, era inevitável.

O braço direito de Donald retornou em meia hora. E resumiu a todos sua rápida conversa com o jornalista do JB:

— É simples. Ele disse que a repercussão da entrevista foi enorme. Depois veio o debate com o Brizola, que também atiçou o público e terminou de plantar a pergunta na boca do povo: Carlos Lacerda é candidato a presidente em 1989? Conclusão: o jornal quer fazer uma nova entrevista, mas só se o doutor Lacerda se comprometer a assumir pela primeira vez, com exclusividade ao JB, que será candidato a presidente.

Gregório Fortunato olhou para Juscelino Kubitschek, que olhou para Carlos Lacerda, que olhou para Donald Kalmar, que olhou para Roy Vannata. Ninguém olhou para o Aspone, mas foi ele quem falou por todos:

— É pegar ou largar.

* * *

Dona Diamantina ouviu de pé, como uma estátua, a história da "outra vida" de seu filho. Ajudar a esconder Carlos Lacerda por onze anos era dupla heresia: pelo mergulho na falsidade e pela cumplicidade com o Mal — que era o que Lacerda significava para ela.

Desde o momento em que Marilyn Monroe escancarou o tabu, Carolina não conseguiu falar mais nada. Baixou a cabeça e ficou ouvindo a falsa loira contar a verdade. A narradora sabia que estava entrando em terreno proibido, mas sabia também que não tinha outra saída — até por estar diante de uma bruxa. Resolveu então encerrar o relato com uma confissão pessoal:

— Sempre detestei esse Lacerda. Felizmente tive a oportunidade de dizer isso na cara dele.

Nesse momento, o semblante de Diamantina se alterou pela primeira vez. Àquela altura ela já achava que tinha caído num ninho lacerdista. A informação de que alguém ali não ia com a cara do ex-governador da Guanabara suscitou um olhar interrogativo da dama de ferro juscelinista. Marilyn captou a pergunta silenciosa e respondeu:

— Tipo de pessoa que acredita demais na própria inteligência. Me irrita. Mas confesso que acabei me acostumando com a figura.

O olhar de dona Diamantina tinha nova interrogação. Marilyn seguiu respondendo por conta própria:

— Esses políticos são ridículos. Todos. A culpa é do povo. Se não existisse essa mania de inventar esses super-heróis de gravata tudo seria mais simples. Carlos Lacerda é um outdoor, um atentado à simplicidade. Mas se você convive um pouco com ele enfiado num buraco, filosofando com um velho pinguço e discutindo futebol que nem criança com um taxista, você até perde o ranço.

Vendo seu filho e seu irmão entrarem na curiosa teoria da balconista, Diamantina suavizou um pouco a carranca. Marilyn achou que o olhar perguntador podia estar começando a averiguar uma chance de perdoar, ou pelo menos tolerar.

— Eu não votaria no Lacerda — arrematou a pensadora do bar. — Mas não tenho mais raiva dele.

Dona Diamantina deu um suspiro e resolveu falar. Depois de todas as perguntas oculares para Marilyn, a voz saiu na direção de Carolina:

— Você tem muitos segredos pra guardar. Eu vou te fazer uma pergunta. Se você achar que não pode responder, não responde. Se vier com mais uma história pra proteger os seus esconderijos, eu não vou gostar.

— Eu amo o seu filho — se antecipou Carolina, adivinhando que agora a conversa iria finalmente para o capítulo da amante que tirou um inocente de casa. Mas a adivinhação falhou.

— Isso é problema seu com ele — devolveu de primeira Diamantina, com a frieza de um tenista sueco. — Minha pergunta é outra.

A mãe do taxista voltou a se sentar na cadeira improvisada e encarou Carolina:

— Por que o Juscelino ficou com o Lacerda?

A pergunta parecia simples e direta, mas Carolina se deu conta de que não tinha a resposta. O mais sincero ali seria dizer "não sei". Naturalmente essa opção estava descartada. Diamantina entenderia como mais um escudo de dissimulação e desistiria da conversa — na melhor das hipóteses. A senhorita Presley teve então que pensar e falar ao mesmo tempo:

— Dona Diamantina, eu acho que ele não planejou isso...

— Não perguntei se planejou. Perguntei por que ele grudou nesse homem. E não desgrudou mais.

— Pois é. Isso é uma questão pra mim também...

Foi cortada novamente:

— Minha filha, se for pra enrolar avisa logo que eu não tomo mais o seu tempo.

— Conheci o Juscelino no dia em que ele decidiu abandonar o Lacerda. Isso foi em setembro de 77. Ele não é de beber, mas nesse dia bebeu bem. Queria comemorar o campeonato do Vasco e foi parar num bar onde ninguém sabia de futebol. Era uma homenagem ao Elvis Presley, que tinha morrido um mês antes. Ficou lá conversando comigo porque eu puxei conversa. O Lacerda é Flamengo e eles tinham discutido por causa de futebol. Mas foi a gota d'água pro Juscelino tomar a decisão de pular fora daquela loucura que já durava quatro meses, desde que ele deu fuga ao Lacerda sem querer.

— Deu fuga sem querer?

— É. O Lacerda pulou dentro do táxi dele de madrugada, no estacionamento de uma clínica na Zona Sul do Rio. Disse que estava escapando da morte. O Juscelino ficou com medo, achou que ele estivesse armado. Decidiu levá-lo dali pra se livrar dele.

— O Lacerda ia ser assassinado? Por quem?

— Ninguém sabe. O Jango e o JK tinham morrido alguns meses antes e algumas pessoas bem informadas andavam suspeitando das duas mortes em sequência. O Lacerda tinha formado com os dois ex-presidentes a Frente Ampla pela democracia e o Donald Kalmar, um empresário amigo, achava que ele seria o próximo alvo. O Lacerda desconfiou de uma enfermeira e resolveu fugir da clínica de madrugada. Essa situação bizarra atravessou a vida do Juscelino. A senhora acredita em destino?

— Alguém obrigou meu filho a seguir esse caminho?

— Não. Com certeza não. E como eu ia dizendo, quando nos conhecemos ele tinha decidido abandonar essa loucura. Era assim mesmo que ele falava sobre ter virado o faz-tudo de um clandestino: "loucura".

— Por que não abandonou?

— Aí é que eu digo pra senhora, com toda a sinceridade desse mundo: eu não sei. Não foi por minha causa. A nossa ligação aconteceu depois. Só sei que naquele dia, no meio de um monte de imitadores de Elvis, eu falei que larguei Juiz de Fora quando vi o Aterro do Flamengo, obra do Carlos Lacerda. Não sou ligada em política, poderia nem ter falado do ex-governador. Mas no que eu falei, ele se iluminou. O político que todo mundo achava que tinha morrido estava escondido ali do lado. E o guarda do esconderijo era ele. Nessa hora acho que ele sentiu que estava envolvido com o Lacerda, e não aprisionado pela situação.

Carolina acendeu mais um cigarro e apresentou a conclusão da sua tese, não muito elaborada, à qual ela própria acabara de chegar:

— Dona Diamantina, o Juscelino ficou com o Lacerda porque quis.

— E o dinheiro? — disparou a tenista sueca de Caxias.

— Que dinheiro? — devolveu a havaiana de Juiz de Fora no fundo da quadra, arrancada de supetão do seu mergulho emocional.

— O Juscelino ficou com a vida folgada depois que passou pra esse "atendimento exclusivo". Eu quero saber se ele foi comprado. Quero saber se ele foi amarrado em algum esquema, se tem dívida, se pode sair a hora que quiser.

— Ele é bem pago. Mas se fosse só por isso, tenho certeza de que ele teria largado tudo quando foi posto pra fora de casa pela senhora.

— E você?

— Largava também. Juscelino não queria aventura. Preferia ficar tranquilo com a família dele.

— Acho estranha essa ligação toda com um político pra um sujeito que sempre foi alienado e nunca entendeu nem o valor de se chamar Juscelino Kubitschek.

— Não acho que foi uma ligação política. Até a Marilyn já disse aqui que deixou de detestar o Lacerda. É uma pessoa cativante. Não estou falando de moral, de justiça, enfim, das coisas do político no palanque, na TV, no palácio. Estou falando de um homem morando num buraco no meio do mato. O Juscelino ficou amigo desse homem. Comprou o barulho dele. Se sente responsável por ele. Seu filho é um grande cara. Que eu talvez não possa mais ver.

Dona Diamantina ouviu em silêncio a repetição das exatas palavras do tio Benjamin sobre Juscelino: "um grande cara". Depois de todas as desconfianças, aquele depoimento confirmava sua intuição de ir ao encontro da tal Carolina inscrita no colar de havaiana. Essa que agora tinha um assassinato nas costas.

— Por que você diz que não vai mais poder ver o Juscelino? Vai se esconder pra sempre?

— Como é a vida, né? O Lacerda saindo da clandestinidade e eu entrando... O Juscelino não merece mais uma década na sombra.

Marilyn Monroe interveio:

— De jeito nenhum. Você não vai viver escondida. Nós vamos provar que você não tinha outra saída.

— Vai ser difícil provar que o Marcius queria me violentar. Ele não deixava pista. Você lembra a dificuldade que foi pra gente rastrear a negociata dele no Barra 20.

— E o bilhete?

— "Carolina, o mundo dá voltas." Isso não quer dizer nada. Serve mais pra indicar que eu tava na cena do crime do que pra evidenciar a tentativa de estupro.

— Como foi essa tentativa? — quis saber Diamantina, sem medo de ser indiscreta.

— Ele atacou a Carolina no rio que passa atrás da chácara — se antecipou Marilyn, tentando poupar a amiga de reviver os detalhes.

— Mas como foi o ataque? — insistiu a dama de ferro.

Carolina olhou para Marilyn, que olhou para o chão. O jeito foi começar o relato:

— Ele estava muito bêbado. Normalmente não dá pra notar, como já falamos aqui. Mas dessa vez estava cambaleando e enrolando a língua. Eu tinha terminado meu banho de rio e estava me secando quando ele chegou. Começou a tirar a roupa na minha frente, dizendo "é hoje que você vai ser minha". Levou dois tombos pra tirar a calça. Eu achei que nem ia precisar pegar minha faca, que estava atrás de uma pedra próxima, de tão bêbado que ele estava. "Vai se afogar sozinho", cheguei a pensar. Mas de repente ele retomou o equilíbrio e começou a falar mais firme, sem tropeçar nas palavras. Peguei a faca quando ele já estava totalmente nu e avançando na minha direção. Aí ele parou e me fez uma ameaça bem clara, com a dicção perfeita. Parecia ter ficado sóbrio em um segundo.

— Que ameaça? Ele estava armado?

— Não. Ele me disse que tinha decidido "ir pro tudo ou nada" e que não ia mais "se reprimir" por causa das provas que a gente tinha do golpe dele na Barra da Tijuca. Falou inclusive que já tinha vazado o esconderijo do Lacerda pra um grupo paramilitar...

— O quê?! — interveio Marilyn. — Isso você não tinha me contado!

— É, esqueci de comentar essa parte. Esse assunto é horrível, acabo querendo encurtar. Mas agora não tem mais problema. O Lacerda já saiu de lá.

* * *

A reunião deliberativa na chácara estava opondo dois pontos de vista centrais. Lacerda queria aproveitar a oportunidade oferecida pelo *Jornal do Brasil*, mas estava em dúvida sobre a condição apresentada. Assumir publicamente uma candidatura presidencial faltando ainda um ano para a eleição não costumava ser boa estratégia. Melhor era esperar um pouco mais pela aclamação do seu nome.

Já Donald achava que seria difícil ocorrer uma aclamação, ou mesmo uma especulação mais forte com o nome de Lacerda para o Palácio do Planalto, sem o tiro de canhão que a entrevista certamente seria. Para o empresário, a tendência dali em diante era que as forças do sistema fossem gradualmente minando o ex-governador de todas as formas e por todos os lados, conforme a interpretação do aviso de Darcy Ribeiro. Era preciso se impor de imediato.

Ambos concordavam, no entanto, que era preciso observar um pouco mais a conjuntura antes de iniciar uma campanha mais aberta, com livre circulação pelo país. Esse foi o primeiro ponto aprovado na reunião, com os votos de Donald, Lacerda, Juscelino, Aspone, Roy Vannata e Gregório Fortunato — ou seja, por unanimidade: até segunda ordem, o pré-candidato permaneceria oculto na chácara do Rocio.

Quando iam voltar para o item da entrevista ao JB, ouviram palmas em frente à entrada da chácara. Um dos seguranças observou por uma fresta de janela e reportou: havia duas mulheres diante do portão.

Juscelino foi checar e voltou-se para os demais com os olhos arregalados, como se tivesse visto uma assombração. Antes de conseguir falar qualquer coisa, pegou Lacerda pelo braço e voou com ele para o quartinho nos fundos do terreno.

— Doutor, não sai daqui de jeito nenhum. Não faz barulho, não faz fumaça, não faz nada. Se me ouvir falando "gostou da casa, mãe?", entra no armário. Ok?

Lacerda estava perplexo e não conseguia dizer nada. Juscelino insistiu:

— Entendeu a senha, doutor?

O ex-governador disse com a cabeça que sim. Juscelino queria uma confirmação:

— Então repete, por favor.

Lacerda balbuciou:

— "Gostou da casa, mãe?"

— Perfeito, doutor. Assim que possível eu volto. Boa sorte pra nós.

Quando Juscelino retornou à casa principal, sua mãe estava no meio da sala. Donald tinha avistado Marilyn Monroe e a convidara para entrar. Já estava galante e sorridente engrenando uma conversa com a falsa loira, sem saber quem era a senhora que a acompanhava. Suando frio, o taxista fez todas as apresentações. Dona Diamantina pronunciou uma única frase:

— Cadê o Lacerda?

O gigante de 1,90m e costeletas de Elvis tonteou e precisou se sentar. A queda abrupta de pressão fez a cor sumir do seu rosto. Marilyn passou a abaná-lo freneticamente enquanto pedia ao Aspone um copo d'água urgente. Diamantina não se alterou:

— Sem drama, Juscelino. Chama o Lacerda. Eu tenho um recado importante pra ele.

TEMPO EM SÃO PAULO

O ESTADO DE S. PAULO

JULIO DE MESQUITA NETO
DIRETOR RESPONSÁVEL

JULIO MESQUITA — JULIO DE MESQUITA FILHO — FRANCISCO MESQUITA

Capital e Interior de S. Paulo — Cr$ 1.400 | ANO 106 | SEGUNDA-FEIRA, 22 DE ABRIL DE 1985 | Nº 33.784 | Domingo Cr$ 1.600 | Assinatura DEZ/85 Cr$ 165.500

EDIÇÃO EXTRA

A morte do homem do Brasil

O NOVO HOMEM DAS CAVERNAS

Todos prenderam a respiração quando Carlos Lacerda apareceu na sala da chácara, trazido por Juscelino, e parou na frente de dona Diamantina. Ela tinha feito questão de não se sentar.

Pela primeira vez na vida, o ex-governador não teve um pingo de desenvoltura diante da adversidade. Sonhava havia mais de uma década com a figura — para ele imaginária — da dona de casa de Caxias que impunha sua autoridade com uma faca na mão. E que comemorara sua morte abrindo um champanhe comprado com o dinheiro do arroz, do feijão e do café.

Já estivera muito próximo dela, sem vê-la — pernoitando na casa de Juscelino antes do "exílio" na montanha — escondido ao mesmo tempo do regime e da mãe do taxista. A clandestinidade dentro da clandestinidade acabava agora.

Lacerda chegou à sala da chácara em silêncio. Não tentou se impor pela voz, pelo carisma e pela fluência. Mesmo quando estava cercado em pleno governo JK, acusado de conspiração e respondendo na Câmara dos Deputados ao pedido de cassação do seu mandato em 1957, o orador firme e incisivo estava lá, acreditando no ataque como a melhor tática de defesa. Diante de dona Diamantina, a artilharia travou.

Marilyn Monroe tentou aliviar o clima com uma tirada irreverente — buscando o papel da conciliadora, que não era propriamente sua vocação:

— Ainda faltam doze anos pro ano 2000, mas já podemos dizer, com certeza, que esse é o encontro do século! Não tem nem pra Reagan e Gorbachev!

O exemplo foi péssimo, porque sublinhava a Guerra Fria entre Lacerda e Diamantina — sendo que no caso dos líderes norte-americano e soviético o muro estava prestes a cair. A sala da chácara abandonada na Serra do Mar não era o território neutro de Genebra. Era a trincheira de um político clandestino invadida por uma oponente implacável.

Juscelino não se perdoava pelo erro de cálculo no teatro de operações, traído por dois movimentos abruptos: o recuo inesperado de Lacerda, depois de iniciada a retirada das tropas do Rocio, e o avanço inédito de Diamantina em direção à cidadela inimiga. Ali estava ele no front, desarmado, sem poder recorrer à ONU — já que o único embaixador capaz de arbitrar aquele conflito estava longe, provavelmente enchendo a cara em algum boteco de Duque de Caxias.

— Some daqui.

A fala ríspida de dona Diamantina dirigida a Carlos Lacerda congelou os presentes. Preocupado com uma possível escalada dos acontecimentos, Donald Kalmar Jr. levantou-se e decidiu tentar colocar sua elegância a serviço da paz, com um "calma, minha senhora" que ela aparentemente nem ouviu. E prosseguiu:

— Se você não se mandar daqui, vai ser liquidado.

Mesmo conhecendo a índole da mãe, nem Juscelino esperava um ataque tão direto. Olhou para a bolsa dela tentando adivinhar seus movimentos. Quem sabe conseguiria se interpor para evitar que ela sacasse a faca. Mas foi Marilyn quem captou o verdadeiro teor da mensagem.

Quando Carolina contou que Marcius Bustamante revelara o esconderijo de Lacerda a um grupo de mercenários paramilitares, Diamantina não disse nada. Estava interrogando Carolina sobre o filho, e aquela informação tinha escapulido no meio do relato. A loira postiça já decidira que na primeira oportunidade passaria a Juscelino o informe gravíssimo. Mas era isso que a mãe dele estava fazendo agora, sem rodeios, dando o alerta curto e grosso diretamente ao implicado.

— Dona Diamantina está trazendo uma informação muito importante — entrou Marilyn, fazendo a tradução simultânea da mensagem bruta. — Esse esconderijo caiu. O ex-governador não pode continuar aqui mais nem um dia.

Em um segundo, a dúvida explosiva sobre se a Guerra Fria ia virar hecatombe nuclear desapareceu. A missão soviética poderia ser a salvação ocidental.

Mas não havia tempo para celebrar a paz. Se impunha a urgência de escapar do terror — o novo velho inimigo.

Roy Vannata foi ao orelhão e requisitou reforço imediato da segurança, retornando em seguida para decidir com o grupo o que fazer diante da nova situação. Todos estavam perplexos com o ato final de Bustamante. Após anos de "paz armada", com a neutralização recíproca dos segredos explosivos, o corretor virara um homem-bomba — conforme a informação trazida por dona Diamantina e Marilyn Monroe.

Ninguém duvidou. A balconista do bar conhecia bem o mundo e o submundo do corretor X-9. Mas para qual grupo paramilitar ele teria vazado as coordenadas da chácara? Com todo o conhecimento que tinha nas estranhas do sistema, certamente entregara a informação para quem atribuía valor à cabeça de Lacerda.

— Permitam-me discordar — insinuou-se o Aspone, em meio às conjecturas de emergência na sala principal da chácara. — Não acho que exista mais hoje, no Brasil de 1988, esse Brasil que inclusive já tem uma nova Constituição democrática, alguém interessado na cabeça do doutor Lacerda. Acredito em sabotagem política. Eliminação, duvido.

Gregório Fortunato olhou para o Aspone como quem diz "olha onde você tá se metendo, parceiro". Enquanto o outro já estava se sentindo uma espécie de consultor presidencial, ele não tinha perdido de vista a condição real da dupla: um despachante e um *office boy* levados por circunstâncias exóticas a um convívio estreito com o andar de cima da República.

Movido exclusivamente pelo desejo de botar a pele da dupla no seguro, depois da análise conjuntural do despachante, o *boy* soltou um pitaco sem muita elaboração:

— Não sei, não. Tem maluco pra tudo.

Foi prontamente fuzilado pelo olhar do Aspone, que ali poderia cogitar tudo, menos ser desautorizado por um soldado raso. O troco veio fervendo de orgulho:

— Gregório, presta atenção. Isso aqui não é uma dessas conversas que você tem em fila de banco...

— Eu acho que o Gregório tem razão — interrompeu Donald.

A intervenção do grande empresário liberal, construtor bem-sucedido na Flórida, em favor do *office boy* da Cinelândia e adjacências foi um golpe duro demais para o Aspone, que despencou imediatamente das nuvens e afundou num silêncio oceânico.

— Não se trata de avaliar se o governo constituído hoje no Brasil, e as forças políticas que o sustentam, trabalhariam de forma violenta contra o Carlos. Eu também tendo a achar que não. Mas os métodos de perseguição e intimidação proliferaram por duas décadas no país. Não só no Estado. Principalmente à margem do Estado. É o serviço sujo, que a autoridade não quer botar a mão. E que pode ser feito com ou sem encomenda.

— Bom, Donald, por esse raciocínio é melhor eu me mudar pra Finlândia.

O corte ácido de Lacerda transformou sumariamente o orgulho do Aspone num balão de gás em ascensão vertiginosa. Depois de uma olhada triunfal para o concorrente direto, ele fez menção de retomar sua análise conjuntural, mas foi atropelado por aquele que não atropelava ninguém. Juscelino se dirigiu a Lacerda em tom grave:

— Doutor, o senhor sabe que desconfio da teoria dos atentados em série contra os líderes da Frente Ampla. Já discuti isso algumas vezes com o doutor Donald, discordando dele. Agora é diferente. A gente sabe que tem mercenário instigado por X-9. Teve anunciante pressionando o jornal que noticiou o seu reaparecimento. Tem fotógrafo misterioso rondando...

— Desculpe, amigo. Quem viu esse fotógrafo fui eu — reapareceu o Aspone, já confiante de novo. — É suspeito. Mas não tem como dizer que é da banda do terror.

— Você conversou com ele? — devolveu Juscelino.

— Não é questão de conversar. Eu falo do que eu vejo. Quem botou o Lacerda pra debater com o Brizola? Quem viu essa oportunidade? Eu vejo, amigo. E falo do que vejo, não do que não vejo.

Todos notaram que a insistência do Aspone continha menos argumentação do que soberba. O "porta-voz" lhe tinha subido à cabeça. Não queria mais o porão, queria a ribalta. Juscelino não discutiu:

— Estou há onze anos e meio com o doutor Lacerda. Ele diz que escapou da morte pegando o meu táxi. O que eu digo é que ele atravessou esse período com saúde. Nem chantagista, nem espião, nem segurança de político botou a mão nele. E não vai ser agora que eu vou deixar o doutor Lacerda nessa chácara pra ser apanhado por um bandido de aluguel.

Dona Diamantina nunca tinha visto o filho tímido se impondo daquela forma. E se manifestou como se estivesse na presidência da sessão:

— O Juscelino está certo.

Antes que alguém ousasse concordar ou discordar, ela finalizou sua mensagem aos entrincheirados do Rocio:

— A Marilyn sabe pra onde vocês têm que ir. Eu vou embora pra Caxias, que não tenho nada a ver com isso.

A loira postiça do bar olhou para Diamantina sem entender nada. Estava designada como guia da clandestinidade sem ter a menor ideia do novo esconderijo que ela supostamente deveria conhecer. Pensou em perguntar-lhe diretamente o que significava aquilo, até porque todos os olhares da sala estavam agora voltados avidamente para ela, mas lembrou que não se pergunta nada a uma bruxa.

Donald se aproximou de Marilyn para saber qual era o possível novo destino do grupo, quando foram interrompidos por gritos vindos de fora da casa:

— Perdeu, Lacerda! Pode sair com as mãos pra cima, pela porta da frente! Não tente fugir, a casa está cercada!

Donald se virou para Lacerda e ambos ficaram sem ação, com os olhos arregalados. Nunca tinham se preparado para o fim da linha.

Roy correu para junto de um dos seguranças e sussurrou para que ele se posicionasse numa das janelas, com a arma engatilhada e ângulo suficiente para observação de todo o jardim.

— Quantos eles são? — perguntou Roy ao ver o segurança já posicionado.

A resposta não veio. O braço direito de Donald repetiu, irritado:

— Quantos são?!

— Desculpe, doutor Roy. Estou tentando verificar melhor. Por enquanto só vejo um velho.

Intrigado com a resposta do segurança, Juscelino se esgueirou até outra janela e abriu uma pequena fresta — a tempo de ver o tio Benjamin disparar novo alerta, engrossando a voz:

— Se entrega, Lacerda! Joga as armas no chão! A casa caiu!

Juscelino virou-se para os demais e informou o que se passava. A porta foi aberta e o ébrio da Baixada foi entrando com uma saudação efusiva:

— Surpresa! Que susto, hein, pessoal? — Parou para gargalhar e continuou. — Vocês me abandonaram! Eu tinha que armar uma pra vocês, né?!

Ao avistar Diamantina, foi na direção dela de braços abertos:

— Tina!! Que bom te ver aqui. Até que enfim, minha irmã! Gostou da voz de policial? Eu sempre imitei bem, né?

No que o recém-chegado entrou no raio de ação de dona Diamantina, ela girou a bolsa no ar acertando-lhe em cheio a têmpora. Tio Benjamin se acabou no chão feito um pacote bêbado.

O Aspone saiu de baixo da mesa de jantar — para onde tinha levado sua valentia quando o perigo se anunciou — e foi socorrer o parceiro de articulação política. Ele conhecera Lacerda graças ao companheiro Benjamin, promovera o grande debate graças ao companheiro Benjamin, se livrara de Ivan, o Terrível, e da brigada da Brizolândia graças ao companheiro Benjamin — que agora jazia desfalecido na sua frente.

— Ele perdeu os sentidos! Um médico! Alguém chame um médico!

Juscelino concluiu seu duelo com o valente da mesa de jantar:

— Não grita, parceiro. Assim você vai acordar ele. Deixa o tio Benjamin dormir um pouco, deve estar cansado da viagem.

Marilyn respondeu a Donald com a segurança que não tinha: voltaria às 5 da manhã para guiá-los até o novo esconderijo. Era o tempo de todos arrumarem as bagagens, enquanto ela tentava decifrar a mensagem de Diamantina.

Roy convidou Juscelino para um passeio pelo jardim. Disse que tinha um presente para ele. O taxista o acompanhou meio desconfiado.

— Você tem muito menos do que merece, Elvis — começou Vannata, que adotara o apelido dado por Carolina. — Mas o que você tem é seu, e tem que estar na sua mão.

Juscelino não estava entendendo aquela filosofia fora de hora até dar de cara com o seu táxi. Roy mandara vir de Brasília a Brasília amarela, que acabara de estacionar em frente à chácara.

O taxista deu um sorriso largo, abraçou Roy e foi mostrar a novidade à sua mãe.

— Dona Diamantina, a senhora vai voltar pra Caxias de carro oficial.

A descida da serra foi tão silenciosa quanto a subida. A diferença era que agora Juscelino não estava mais com medo de ter seus pensamentos lidos pela mãe. Estava tudo limpo, cristalino. Ou quase tudo.

Já chegando a Caxias, encorajado pela quebra do tabu da sua "outra vida", respirou fundo e perguntou a dona Diamantina onde ela tinha estado de manhã, quando saiu da chácara antes de o dia raiar. Em dois segundos se arrependeu de ter perguntado, se desculpou pela curiosidade e disse que ela não precisava responder. Mas a resposta veio mesmo assim:

— Fui encontrar a Carolina.

Juscelino continuou olhando fixo para a frente, segurando o volante com força, como se estivesse pilotando um tanque de guerra no Vietnã. Qualquer outra palavra que viesse da sua passageira sobre aquele assunto cairia como uma bomba no *cockpit*. Diamantina fez uma pausa, como se a resposta estivesse encerrada. A respiração do piloto ainda estava presa quando ela prosseguiu:

— A Carolina está bem. Quer dizer, está mal. Mas com saúde. Ela não quer que você saiba onde ela está. Não quer que você seja condenado a viver escondido por um crime que ela cometeu.

A respiração presa quase não deixou a voz sair:

— Por que a senhora foi lá?

— Não sei. Achei que tinha que ir. Falam muito nesse negócio de intuição, eu não acredito nessas coisas. A gente faz o que tem que fazer.

— E agora? A senhora acha que tinha que ter ido?

— Claro.

— Posso perguntar por quê?

— Juscelino, me deixa em casa. Volta pra Petrópolis, vai no bar da Marilyn e pede pra ela te levar até a Carolina.

— Já pedi. Ela não leva.

— Agora ela vai levar.

* * *

Conforme sua nova rotina, Carolina se levantou do colchonete antes de o dia nascer. Pegou algumas peças de roupa e andou até o córrego que passava por trás do casebre, alguns metros abaixo. Lavou tudo e retornou antes do primeiro raio de sol. Mesmo estando num ponto ermo da região montanhosa, não queria se expor. Ao se reaproximar do esconderijo, teve a impressão de ouvir um ruído vindo lá de dentro.

Parou de andar, para que o som da sua própria pisada no mato não a confundisse. O silêncio se refez. Voltou a andar e novamente veio a impressão do ruído. O ar gelado da madrugada estava parado, sem nem um leve sopro. Dentro da cabeça a ventania era intensa. Não seria difícil ouvir coisas. Nem ver.

Com mais dois passos, Carolina viu. Apesar da escuridão, o movimento de um grande vulto dentro do casebre ficou bastante perceptível através da janela.

Ela não esperou para ver se era bicho ou gente. Saiu correndo ladeira abaixo em direção ao córrego. Mas foi contida. O invasor tinha saído do casebre gritando seu nome, amplificado pelo eco das montanhas. A voz era mais do que conhecida. Ela parou, voltou e reconheceu a silhueta agigantada de Elvis.

Quando o dia nasceu, os dois ainda não tinham dado uma palavra. Se amaram intensamente em silêncio. Depois de acender um cigarro, Carolina se pronunciou em nome do casal — dizendo o que sabia que Juscelino diria também, se fosse de falar: nunca tinham sido tanto um do outro. Algo diferente acontecera. Não era só a saudade e o medo do fim.

Ele concordou sem dizer nada. E a resposta estava nos olhos de ambos, sem legenda: Elvis e a senhorita Presley tinham sido libertados por dona Diamantina. O fantasma do descaminho estava vencido.

Agora faltava enfrentar o fantasma do futuro — ou da falta dele. Carolina precisava sumir no mundo. Inclusive porque o local do esconderijo de Lacerda tinha sido vazado. A informação ia correr inevitavelmente e a investigação do assassinato de Bustamante acabaria chegando ao mesmo endereço — a chácara onde morava Carolina, fazendo fachada para o ex-governador.

A reaparição dela certamente acabaria sendo usada politicamente para tentar implicar Lacerda no crime.

— Vou com você pra onde você for — decretou Juscelino.

— Não vai, não. Você vai com o Lacerda pra onde ele for. A gente vai se encontrar quando for possível. O Lacerda precisa de você.

O taxista não contestou. No fundo sabia que seria assim. Respirou fundo e resolveu dar um jeito de continuar a conversa — o que só fazia quando estava perturbado:

— Por que você acha que o Lacerda precisa de mim?

— Porque você é um taxista, vascaíno, de Duque de Caxias.

— Estou falando sério.

— Eu também. A elite culta que cerca o Lacerda tem pessoas incríveis como o Donald. Mas... Você notou o interesse do Donald pela Marilyn?

— O doutor Donald não está interessado na Marilyn.

— Como você sabe?

— Falei com ele. Foi até no dia do nosso acidente no Belvedere.

— E ele?

— Disse que era bem casado.

— Acredito que seja. Mas sei que ele não tem em casa, nem no clube, nem em todo o circuito reluzente dele o que a Marilyn tem. Tá na cara, basta ver como ele olha pra ela.

— E o que isso tem a ver com a minha pergunta sobre o Lacerda?

— Tudo. É a mesmíssima coisa. Essa burguesia refinada se perde no refino. Olha o Marcius Bustamante...

— Esse era psicopata.

— Pode ser. Mas como chegou lá? Fez todo o roteiro dos ilustríssimos lustradíssimos: leu livros, aprendeu línguas, frequentou as altas rodas, as festas mais ricas, fez as amizades "certas", ganhou dinheiro, ostentou, gastou, ganhou mais dinheiro. Nada bastou. É gente vazia por dentro.

— O Donald e o Lacerda não são vazios. São as pessoas mais inteligentes que eu já conheci.

— Concordo. Mas também são impressionados demais com a própria inteligência. Enciclopédia não é sabedoria, Elvis. Senão o Lacerda não ficava horas conversando com o tio Benjamin.

— Mas eu quase não falo...

— Pois é. E o Marcius falava pelos cotovelos. Um dia você vai entender. Um cara como você liga um Lacerda na tomada. Ele viveu cercado de bonequinhos falantes, mais ou menos peçonhentos. Aí vem essa recarga de lealdade, simplicidade, ingenuidade, força. Dona Diamantina me perguntou por que você ficou com o Lacerda. Eu devia ter respondido por que o Lacerda ficou com você.

— O que você disse pra ela?

— Não tem importância. Ela entendeu tudo. Voltou pra Caxias sabendo perfeitamente o que Carlos Lacerda e Juscelino Kubitschek estão fazendo juntos.

— Você fala como se não fizesse parte disso.

— Claro que faço. Eu sei que faço. Mas vou ter que deixar de fazer.

— Não vai.

A voz que respondeu a Carolina veio de fora do casebre. Marilyn Monroe entrou, se sentou no toco de árvore e comunicou: o novo esconderijo de Lacerda ficaria numa gruta a um quilômetro dali.

Era a senha deixada por dona Diamantina, que avistara uma fenda na rocha quando subiam a montanha para encontrar Carolina. Fizera questão de atravessar a fenda e explorar o vão interno. "Não é tão úmido. Dá pra dormir aqui", disse para Marilyn — que só foi entender o significado da mensagem quando incumbida de guiar o grupo para novo paradeiro.

— O Roy vai equipar a caverna com gerador e infraestrutura básica. Esse esconderijo ninguém acha. O Lacerda mandou te dizer que quer você lá, Carolina.

A havaiana de Juiz de Fora, mais conhecida como srta. Presley, perdeu a fala. Sabia que tinha se tornado ao longo dos anos uma presença positiva para Carlos Lacerda. Mas não a ponto de ser requisitada por ele depois de cometer um assassinato. Marilyn estava armada com todo o seu arsenal persuasivo para confrontar a decisão de Carolina de "sumir no mundo". Mas quando a fugitiva conseguiu falar, o assunto foi outro:

— O Carlos vai ser candidato a presidente?

Marilyn baixou as armas e murmurou:

— Não sei e não quero saber.

— Estão avaliando — informou Juscelino. — O doutor Donald era contra. Agora é a favor. Mas ainda está na dúvida.

— Bela assessoria, essa — fuzilou a falsa loira, que não ia desperdiçar a deixa involuntária de Juscelino. — Com todo esse poder de decisão, até o século 21 o Lacerda chega ao Palácio do Planalto.

— São muitos riscos pra considerar. Não dá pra decidir uma coisa desse tamanho correndo — remendou o taxista.

— Muitos, mesmo. E agora mais ainda — deixou no ar Marilyn.

Carolina viu que tinha problema novo na área:

— O que aconteceu?

— Ontem no final do dia o Roy, o Aspone e mais um segurança pegaram uma charrete, arrumaram uns chapéus de camponês e deram uma busca disfarçados na região da chácara. Aí acabaram encontrando o tal fotógrafo esquisito que tinha aparecido na Cinelândia e no Alto da Boa Vista. É um sujeito bem magro, de cabeça raspada e com uma cicatriz grande que vai do queixo até a orelha. Inconfundível.

— Vixe...

— Calma que é pior. Ficaram de tocaia e pegaram uma conversa do cara no orelhão. O papo é pesado.

— Que papo, mulher? Fala logo! Terror eu já tô acostumada.

— É isso. Terror. "Cabeça na mira" e daí pra baixo. Aqueles códigos de esquadrão de quinta categoria.

— Tipo Mão Branca.

— Acho que tá mais pra biscateiro de ditadura. Ou alguém encomendou o Lacerda, ou alguém teve a ideia de oferecer a cabeça dele. Mercado.

— Mas a ditadura acabou.

— Pior ainda. O mercado encolheu. Biscateiro sem encomenda começa a ter ideia própria. Aí já viu.

— Isso é faroeste.

— Seja muito bem-vinda.

— O país celebrando uma Constituição nova! Você imagina esse tipo de coisa acontecendo ainda?

— Não entendo de política.

— Mas entende de máfia.

— Infelizmente, sim. Carol, nesse lodaçal cheiroso onde vivem os Bustamantes e suas altas conexões, a temporada de caça é permanente. Algum figurão sempre dá a senha. O país nem nota, mas o submundo entende rapidinho. "Tancredo tá muito apressado..." Etc.

— Você acha que o Tancredo...

— Eu não acho nada. Só sei que quando aparece alguém assim muito destacado da manada, com força pra fazer a coisa andar sem as gambiarras todas, o porão fica indócil. Não sei o que houve com o Tancredo Neves. Sei que na república das gambiarras aquilo foi considerado um "serviço bem-feito". Eles confiam cegamente na perversão.

— Que horror.

— "Ninguém pode negar o destino. Mas pode ajudá-lo." Essa frase eu já ouvi muito.

— O Lacerda não tem essa importância toda — interveio Juscelino, ligeiramente impaciente com o rumo da prosa.

— Também acho que não — respondeu Marilyn. — Aliás, acho que não tem importância nenhuma.

— Claro que tem — rebateu Carolina. — O problema é que se essa explicação estiver certa, o porão tem bons motivos pra estar indócil. Já estava se ajeitando ali com o novo conchavo, o passado embarcando no futuro com Sarney e companhia, a discurseira engolindo a Constituinte. De repente aparece um "morto" fazendo críticas que ninguém tinha feito e vendendo muito jornal. Isso preocupa a turma da gambiarra, né, Marilyn?

— Quem entende de política é você.

— Não entendo nada. Sou uma mineira procurando Elvis Presley no Aterro do Flamengo.

Marilyn Monroe riu. E respondeu a pergunta:

— Não sei se o porão tá indócil. Mas o pessoal da chácara agora acha que tá. Depois do flagrante no fotógrafo, ninguém questionou mais o novo esconderijo pro Lacerda. O grande intelectual vai virar homem das cavernas.

A dama do balcão deu uma gargalhada diante da expressão séria dos outros dois. Depois se levantou e encerrou a conversa, já se despedindo:

— Então é isto: pelo visto amanhã estaremos todos numa gruta *high-tech*. E aí, Carolina? Você vem?

* * *

O aquecedor elétrico não combinava nada com as paredes cavernosas. Mas funcionava. O gerador trazido morro acima pela brigada de *motocross* providenciada por Roy Vannata ia fazendo o que se esperava dele — transformar a gruta num lar, ou algo parecido com isso.

Um fogareiro garantia a boa alimentação do grupo. Esse item e todo o departamento de saúde estava a cargo de Jennifer, trazida por Juscelino na volta da missão Diamantina. Roy orientara a esposa a deixar as crianças com a avó em Deodoro "por tempo indeterminado". Ninguém arriscava dizer quanto tempo duraria a nova etapa da clandestinidade — ou da submersão pós-clandestinidade. O que todos sabiam era que não poderia durar muito.

Lacerda tinha definido a estratégia: observariam a conjuntura por mais um mês e então decidiriam quais riscos correr e em que direção seguir.

O fator central a observar não era verbalizado, mas estava mais do que entendido. Se a reaparição do ex-governador da Guanabara alcançasse uma clara aceitação pela opinião pública, se impondo aos boatos e às intrigas, ele voltaria para o centro da política nacional e teria força suficiente para enfrentar o sistema — que ele preferia chamar de "os sistemas".

Já se a sua reaparição fosse majoritariamente rejeitada pela sociedade — com sua figura ficando no limbo entre o impostor e o desertor, para onde seus adversários já começavam a tentar empurrá-lo — estaria tudo perdido. Aí passaria o resto da vida tentando se defender do aniquilamento que os sistemas iriam regiamente trabalhar para lhe impor, como alertara o professor Darcy.

A chave para tentar consolidar a relevância da sua figura na cena política brasileira, mais de uma década após sua morte oficial, era única e sem duplicata: a nova entrevista exclusiva oferecida pelo *Jornal do Brasil*. A condição apresentada era amarga: teria que se lançar candidato a presidente mais de um ano antes da eleição — o que para ele seria um erro político, mas para o JB seria um furo jornalístico.

— Vamos tentar negociar isso, Carlos — objetou Donald, com seu impecável penteado grisalho arruinado por um gorro de lã, que botava e tirava toda hora. — O jornal não tem o direito de propor uma condição dessas.

— Tem sim, Donald — retrucou Lacerda, com autoridade de fundador de jornal. — Não estão me obrigando a nada. Já me deram um espaço nobre. O principal colunista deles escreveu que eu sou candidato, só não assumo. Se eu quiser confirmar essa premissa, terei novamente um grande espaço pra fazer isso. Se não quiser, não vão me entrevistar de novo agora, simplesmente porque acabaram de me entrevistar. Não vejo pecado nisso. De fato, não é uma conduta de manual. Mas é real.

O empresário não contestou, e também não concordou. Quem se manifestou na contramão foi tio Benjamin, enquanto servia mais uma dose de uísque para Lacerda e para si mesmo:

— Eu acho essa entrevista uma furada.

O petardo meio desleixado surpreendeu a todos e provocou especialmente Gregório Fortunato, que se sentia o embaixador das tratativas com o JB:

— Furada por quê, parceiro?

— Em primeiro lugar, não sou seu parceiro. Por acaso aconteceu de bebermos no mesmo bar.

— Eu não bebo, parceiro.

— Pior pra você. Em segundo lugar, não fica achando que porque você bate perna pagando conta dos outros ali onde tem uns palácios no caminho você entende de política.

Vendo que o bate-boca entre o velho e o *boy* ia longe, Jennifer fez o seu papel de zelar pela sanidade local:

— Também fiquei curiosa, Benjamin. Você acha que essa entrevista seria inoportuna?

— Não é questão de inoportuna, minha filha. É questão de cilada. Raciocina comigo.

Como um maestro que coloca toda a orquestra focada na sua batuta, o ébrio de Caxias congelou as atenções sobre si na pausa dramática para mais um gole generoso. Estalou a língua saborosamente para oferecer o prometido raciocínio:

— Esse jornal apanhou de tudo que é lado por bancar a entrevista com um morto. Vendeu, mas apanhou. Agora quer o quê? Fazer média com os anunciantes que deram faniquito! Vão tratar o seu Carlos como um idiota, impostor ou qualquer coisa que console o mundo que caiu na cabeça deles. É óbvio! De quebra ainda enterram a candidatura. Vão mostrar ele como um lunático ansioso pelo poder. Vai por mim.

Terminado o raciocínio do tio Benjamin, dava para ouvir até as aranhas tricotando nas paredes da gruta. A orquestra tinha sido sumariamente colocada em modo reflexivo. Quem encerrou o concerto das aranhas foi o próprio Lacerda:

— Acho que você está sendo pessimista, amigo. Mas o seu pessimismo tem lógica. Enfim, o seu alerta é válido. Confesso que não sei como contornar esse risco.

— Com todo o respeito ao ponto do nobre colega — entrou o Aspone, falando já praticamente como um deputado. — Isso aqui não é uma reunião pra desistentes. Não precisamos de mais problema. Precisamos de solução.

— Isso aí eu também acho — declarou Gregório Fortunato, achando que era hora de uma tomada de posição firme em favor do seu líder de bancada.

— Que bom. E qual é a solução que os guerreiros da positividade vão tirar da manga? — cobrou Juscelino, já sem esconder a irritação com o palanque da dupla.

— Amigo, vou repetir porque você não entendeu. Só falo do que eu vejo e do que eu sei. Não tiro nada da manga, nem da cartola. Levei Carlos Lacerda pra um debate no palácio e agora vou levar pra um debate na rua. Cinelândia, amigo! Chega de entrevista. Vamos encontrar o povo.

— O povo que você diz inclui os brucutus da Brizolândia e os mercenários que querem a cabeça do Lacerda? — interveio Marilyn Monroe. — Seria realmente um encontro emocionante.

A faca da balconista cortou a língua do Aspone. Seu plano estapafúrdio estava enterrado sem polêmica. Donald mais uma vez lançou um olhar de admiração para a falsa loira. Aquela inteligência rude era desconcertante para um intelectual erudito. Mas quem puxou Marilyn para uma conversa paralela ao pé do ouvido foi o Aspone.

— Companheira, entendo a sua preocupação. Mas queria pedir o seu apoio à minha proposta. Sou despachante, entendo de rua. O Lacerda apareceu e sumiu de novo. O povo quer mais. Se ele reaparece num comício no centro da terra dele vai ser uma festa. Multidão do nosso lado, vai por mim. Com mais os homens do Roy, a gente neutraliza qualquer ataque. Dentro de uma caverna o Lacerda não se elege nunca.

— Então por mim ele pode ficar na caverna — devolveu de primeira Marilyn.

— Não diga isso, companheira. Pensa grande. Você passa a vida atrás de um balcão gordurento no Rocio. Já pensou que se o Lacerda for presidente você pode ser copeira do Palácio?

— Não dá.

— Por quê?

— Se eu ficar na copa, quem vai ser a puta?

Enquanto o Aspone consultava suas apostilas imaginárias de articulador palaciano para tentar entender a "colocação" da companheira, ela já tinha sumido da sua frente.

Na roda da reunião executiva, o dilema sobre a entrevista ao JB tinha voltado à pauta. Donald tinha entrado no assunto discutindo a possibilidade de usar seus contatos na elite empresarial carioca para "falar por cima" com a direção do jornal. Seria um jeito de estabelecer alguma forma de controle sobre a edição da entrevista — tentando eliminar os riscos de armadilha.

— Interessante, chefe. Mas pode sair pela culatra — opinou Roy. — Nossa experiência com *lobby* tem mostrado que oferecer informação selecionada funciona bastante bem. Os veículos acabam assimilando nosso ponto e indo na direção que queremos. Mas tentar saber o que vai ser publicado quase sempre é um desastre. Eles ficam melindrados e não te falam que ficaram. Mas pode esperar que a pancada vai vir.

— Compreensível — resumiu Lacerda, num jeito sutil de abortar o plano de Donald.

— Bom, o que a gente faz, então? — devolveu o empresário.

— Vamos ligar pro Castelinho.

A sugestão veio de uma voz feminina que não era de Marilyn Monroe. Todos olharam para um ponto mais escuro na entrada da gruta. Lá estava a senhorita Presley, de cócoras, imóvel desde que chegara silenciosamente sem ser notada.

— Carolina! — bradou Lacerda, se levantando de um pulo, como o que dera se jogando no táxi de Juscelino em Brasília para escapar da segurança do Congresso (e dos limites de um homem de 74 anos).

Na longa convivência, Carolina nunca tinha sido abraçada por Lacerda. Agora o abraço apertado do ex-governador confirmava o recado de Marilyn: no momento mais crítico de todos, ele a queria ao seu lado. E a enchia de coragem para seguir adiante após o crime que fora levada a cometer.

A festa pela chegada inesperada da "havaiana" eletrizou a caverna. Também de forma inédita, Elvis beijou Mrs. Presley na boca diante de todos. Tio Benjamin serviu uma rodada de cachaça aos presentes explicando que "os uísques do Carlos são fracos para momentos como esse". Gregório e o Aspone apresentaram a si mesmos a Carolina, já que ninguém se lembrara de fazer isso. Donald e Roy vieram garantir a ela toda a assistência jurídica necessária para sua defesa. Jennifer decretou que o momento era perfeito para

Carolina parar de fumar. Marilyn botou imediatamente um cigarro na boca de Carolina.

A fumaça se somou à do cachimbo de Lacerda, e a voz grave do tribuno atravessou as brumas:

— Você falava do Castelinho...

— Pois é. Não seria uma boa? — retomou Carolina.

— Uma boa o quê?

— Ué? Ligar pro Castelinho. O problema não é o jornal querer dar uma rasteira? Então se o Castelinho topar, fica elas por elas: você garante que vai assumir a candidatura, desde que a entrevista seja feita por Carlos Castello Branco.

— E se eles mandarem o Castelinho arrebentar com o Lacerda? — questionou tio Benjamin, sempre à vontade no papel de advogado do diabo.

— Ninguém manda no Castelinho — rebateu Lacerda, sancionando a sugestão de Carolina.

— Tudo bem, gente. Mas se o nosso presidente não pode sair da caverna, essa entrevista vai ser onde?

Depois de várias bolas fora, o Aspone dava uma dentro. Até poderiam montar um esquema de segurança e despiste, mas um encontro envolvendo o maior colunista de política do país tinha grandes chances de vazar. Na discussão intrincada sobre a estratégia política, ninguém tinha pensado na parte prática. Méritos para o despachante. Em meio à hesitação geral, Gregório Fortunato soltou a voz:

— A não ser que a gente sequestre o cara.

O imediato coro de reprovações e críticas incisivas ao *office boy* com apelido de capanga não o intimidou:

— Calma, pessoal. Falei sequestro no bom sentido.

A reação geral piorou após a emenda infeliz, mas o proponente foi adiante:

— É só combinar com ele: "Castelinho, a gente vai precisar te sequestrar pra entrevistar o Lacerda numa caverna. Você não pode ver o caminho porque é um esconderijo. A gente fecha as cortinas da van do Roy, você tira uma soneca até lá e depois da entrevista a gente te devolve". Qual é o problema?

Era uma ideia maluca, mas após a exposição completa dela não apareceu nenhuma voz para desautorizar o *boy*. O silêncio geral mostrou a Lacerda que a bola estava com ele. O jeito foi chutar:

— Tudo bem. Vamos perguntar ao Castelinho se ele topa ser sequestrado.

Jornal da Constituinte

PORTE PAGO DR — BSB ISR-47-331/86

Órgão Oficial de Divulgação da Assembléia Nacional Constituinte — Brasília, 12 a 18 de setembro de 1988 — nº 62

A Promulgação da Constituição devolve a você, brasileiro, a condição de cidadão. Não basta que ela entre em vigor, pois a força está no povo, que vai fazê-la prevalecer. Antes, portarias suprimiam decretos, decretos fechavam o Congresso e cassavam juízes. Agora, cada habitante deste país é responsável pelo cumprimento de normas que garantem a reconstrução jurídica, política, econômica e social da nação, pois

O BRASIL COMEÇA DIA 5

EUA não falam sobre a ação contra Noriega
Página 10

TRIBUNA da imprensa

ANO XXXVIII - Nº 11.969
Rio de Janeiro, quinta-feira, 28 de julho de 1988 Cz$ 70,00

Ulysses afirma que nova Constituição não será

Inacabada mutilada ou profanada

Com um pronunciamento histórico, o presidente da Constituinte, deputado Ulysses Guimarães, não só devol-
críticas que o presidente José Sarney fizera
noite, através de cadeia nacional de
mo garantiu uma vitória
tituição. O resultado
abstenções

na Constituinte, o presidente Ulysses
iu ontem evitar mais uma crise no go-
os ministros da Previdência, Renato
Tecnologia, Luiz Henrique; e da Cul-
a decisão de renunciarem aos cargos.
cher ficou praticamente acertada na
ira, ainda sob os ecos das críticas
e. Numa reunião em que o próprio
casa do ministro da Previdência,
tregaria o cargo ontem e seria se-
ique e Celso Furtado. Mas com a
tos e com a aprovação do texto
turno por ampla maioria graças
de Ulysses Guimarães no Con-
ram ficar. A notícia de que os
ou o Palácio do Planalto, mas
falar sobre o assunto.

SEGUNDA-FEIRA - 24 DE FEVEREIRO DE 1992 - **Internacional** - O ESTADO DE S. PAULO - 9

"Guerra fria teve apenas perdedores"

MIKHAIL GORBACHEV
Especial para o Estado

MOSCOU — Agora que os conspiradores do malogrado golpe de agosto estão presos e sua culpabilidade perfeitamente clara para todos, tanto no nosso país quanto no exterior, várias vezes me fazem essa pergunta, sobretudo no Ocidente: o comunismo morreu, ou continua vivo e capaz de um renascimento?

Hoje posso responder, com confiança, que o modelo stalinista — implacável desde o início, um regime que ignorou totalmente a democracia, os direitos humanos e as necessidades do povo — está morto e enterrado. Aquele foi um sistema que cometeu violências contra a sociedade e perverteu as idéias do socialismo. Considero o modelo stalinista morto, e acrescentaria: graças a Deus.

Tenho a certeza de que sua morte não afeta o socialismo em si. A idéia do socialismo sobrevive, e, a meu ver, a busca — o desejo de fazer experiências e encontrar uma nova forma de concretizar a idéia socialista — continua. E, nesse novo contexto, os princípios democráticos e humanitários deveriam ter lugar de honra, naturalmente.

O que me parece mais impressionante, hoje, é o fato de essa busca afetar não só o nosso país (onde teve início e ainda prossegue uma fase da história que conhecemos muito bem) mas também o resto do mundo, inclusive os países capitalistas.

Até diria que ela afeta ampla série de partidos políticos. É como se várias forças, partindo de pontos diferentes, estivessem tentando pôr em prática algo que não está muito longe das idéias do socialismo — ao contrário, justamente como resultado dessas idéias está sendo possível encontrar facilmente os pontos de intersecção.

A verdade, em tudo isso, é que hoje todos nós, do Leste e do Oeste, estamos seguindo na direção de um novo tipo de civilização, quer tenhamos consciência disso ou não. E é isso o que me leva a pensar que os nossos velhos estereótipos perderam o significado e deveriam passar por uma revisão radical. Em particular, já não podemos lançar o capitalismo e o socialismo um contra o outro, como se estivéssemos vivendo uma era de guerras religiosas.

Isso significa que a sociedade e a civilização que estamos criando deveriam ser compreendidas em toda a sua complexidade, com todas as facetas e contradições. É exatamente esse o sentido da liberdade intelectual e política, e do pluralismo. Também é esse o sentido da liberdade econômica.

O filósofo italiano Norberto Bobbio disse que o socialismo está em crise por falta de mercado. Entretanto, para mim, liberdade econômica significa a coexistência de todas as formas de propriedade possíveis - estatal, cooperativa, privada. E isso pressupõe o mercado.

Também é preciso notar que representantes de partidos socialistas e membros da Internacional Socialista estão no governo de países que adotam a economia de mercado. Abandonar as velhas idéias também significa rejeitar as distorções da história ou o seu uso para servir a interesses mesquinhos.

Seria um erro entender a história da URSS apenas como uma série de chances perdidas. Seria um modo extremamente unilateral de ver a questão. A verdadeira oportunidade foi perdida tanto pelo Leste como pelo Oeste, após a vitória sobre o nazismo e o fascismo.

Há várias causas e motivos para o erro histórico: um lado temia a democratização do seu próprio país e a ampliação do diálogo com seu aliado na vitória, enquanto o outro lado temia a propagação da influência soviética. O resultado foi o início da guerra fria. A Europa e o mundo perderam uma grande oportunidade, entre 1945 e 1947.

Recentemente, o presidente George Bush voltou a dizer que os Estados Unidos triunfaram na guerra fria. Eu responderia dizendo que os longos anos que passamos mergulhados na guerra fria nos converteram a todos em perdedores. E o fato de o mundo ter rejeitado o confronto e a hostilidade, em nossa época, faz com que sejamos todos vitoriosos.

Ademais, não me parece que as discussões desse tipo ainda tenham qualquer importância — exceto nas eleições primárias presidenciais.

■ *Mikhail Gorbachev é ex-presidente da antiga URSS.*

MISTIFICAÇÃO CIVILIZATÓRIA

Em frente a um armazém deserto na região das docas do cais do porto, a menos de um quilômetro da sede do *Jornal do Brasil*, no Centro do Rio, Carlos Castello Branco fez o transbordo de um táxi comum para a van pilotada por Roy Vannata.

Quem recebeu o jornalista foi Juscelino, que o conhecera na sucursal do JB em Brasília. Na ocasião, o taxista chegou a ter uma arma apontada para sua cabeça pela segurança do jornal, acusado de tentar sequestrar Castelinho. Agora estava sequestrando de fato — com a anuência do sequestrado, que voara de Brasília ao Rio exclusivamente para isso.

— Como vai o Lacerda?

— Vai indo, doutor Castello. O senhor não duvida que seja ele mesmo, né?

— Não. Sei que é o próprio.

— Mas tem muita gente em dúvida.

— Sim. Existem sósias, impostores, operações plásticas... Vai ter que ser investigado. O Congresso Nacional já pediu. Normal. É estranho mesmo pensar que o Lacerda tenha estado vivo esse tempo todo.

— O senhor também acha estranho?

— Sinceramente? Nem tanto. Conheço razoavelmente o personagem. É um obstinado, que tem uma coisa que eu chamo de "vocação histórica". Assim como o Getúlio se matou como um ato político, acho o Lacerda totalmente capaz de "morrer em vida", também como ato político.

— O senhor disse tudo: é um obstinado. Nem sei como aguentou tanto tempo. Agora está obcecado com essa entrevista. É a grande aposta dele pra deixar de ser clandestino. Mas ainda tem medo. Diz que não tem, mas tem.

— Está ameaçado?

— Sim. Já detectamos dois suspeitos tocaiando. Um deles morreu.

— Morreu de quê?

Juscelino escapuliu, avisando que a partir daquele momento seria necessário fechar as cortinas da van, conforme combinado — inclusive a que os separava da cabine do motorista. Castelinho disse que estava tudo bem, e voltou ao tema anterior:

— Vocês mataram o espião?

O taxista engoliu em seco e respondeu mais seco ainda:

— Claro que não, doutor.

— Houve um assassinato na região onde o Lacerda estava escondido.

— Coincidência.

— Se não me engano eu mesmo dei a notícia a vocês, quando estávamos em Brasília. Agora se sabe que a vítima era um corretor de imóveis, né?

— Ah, é? Não estava sabendo.

— Não sabia? Você não lê jornal?

— Tenho estado muito ocupado com os novos movimentos do doutor Lacerda.

— Eu conheci esse Marcius Bustamante. Tinha entrada na direção do jornal. Muito influente na imprensa toda, e no empresariado também. Na verdade era um lobista. Eu diria que era um picareta. Se metia muito no meio político. Montava acordos esquisitos, não duvido que fizesse chantagem. Por isso achei que podia ser um dos que espionaram o Lacerda.

— Era ele, sim, doutor. Desculpe. Só quero proteger o meu patrão.

— Não se preocupe. Entendo perfeitamente. E vocês têm alguma ideia de quem pode ser o assassino?

Juscelino gelou de novo:

— Não.

— Os investigadores estão procurando uma tal de Carolina. Vocês sabem quem é?

— Nunca ouvi falar. Mas sendo o Bustamante um picareta, como o senhor disse, talvez o assassino ou assassina tenha tido lá os seus motivos, né?

— Talvez. Eu acho que você conhece a Carolina.

Juscelino ficou em silêncio. Não se falou mais nada na van até a chegada ao último ponto transitável, a partir do qual subiriam a pé. Ou não subiriam.

Quando foi chamado a desembarcar e informado de que a partir dali cumpririam um trecho de subida no mato onde a van não entrava, Castelinho se negou. Estava com boa saúde aos 68 anos, mas tinha tido uma entorse no joelho e a recomendação médica era não caminhar — muito menos subir ladeira, ainda mais no mato.

— Sinto muito. Vamos ter que cancelar a entrevista — disse o jornalista. — Me levem de volta pro Rio.

Juscelino olhou para Roy, que fez um sinal negativo com a cabeça — significando algo como "não podemos recuar". O taxista tentou uma cartada, que sabia que seria a primeira e última. Olhando para o piauiense baixinho do alto de seu 1,90m, disse-lhe em tom meigo:

— Doutor Castello: considerando que isto é um sequestro, acho que não seria impróprio se eu levasse o senhor no colo. O que o senhor acha?

Absolutamente constrangido, Castelinho não autorizou a manobra patética. Mas também não desautorizou. Roy sentiu a hesitação no ar. Notou que, por um lado, o jornalista não queria perder a entrevista — que possivelmente seria mais um estouro de vendas, com o "lançamento" da candidatura presidencial de Carlos Lacerda. O braço direito de Donald Kalmar Jr. deu seu empurrãozinho:

— Não vejo problema, doutor Castello. O senhor é um imortal da Academia Brasileira de Letras, mas não deixou de ser repórter. E todos sabem que num esforço de reportagem vale quase tudo.

Juscelino retificou:

— No caso, o esforço de reportagem é meu, né? O doutor Castello não vai fazer esforço nenhum.

O jornalista não conseguiu segurar o riso. Depois soltou um "ok" envergonhado, quase inaudível. E foi erguido no ar como um bebê, delicadamente, pelo gigante Elvis.

Quando Castelinho adentrou a gruta, Gregório Fortunato e o Aspone puxaram uma salva de palmas, não seguida por ninguém. Os demais cumprimentaram-no respeitosamente a distância, sem perder a noção de que aplaudir um jornalista naquelas circunstâncias indicaria uma expectativa de complacência. E jornalista que se preze não pode nem ouvir falar em cartas marcadas.

Lacerda agradeceu o "esforço de reportagem" do colunista, sem entender por que nessa hora Roy e Juscelino abriram sorrisos largos. Uma poltrona puída e um sofá velho de dois lugares, ambos de aspecto péssimo, mas ainda confortáveis, estavam colocados frente a frente na "sala de estar" da caverna — o espaço mais amplo das subdivisões rochosas naquele vão de montanha.

— Obrigado, Carolina — disse Lacerda, ao receber dela recortes de jornal que tinha solicitado para consultar durante a entrevista.

— Então essa é a Carolina — emendou Castelinho, montando o quebra-cabeças do crime.

A cor sumiu do rosto de Juscelino. Ninguém conseguiu dizer nada. Só Carolina:

— Sou eu, Castello. É um prazer conhecê-lo pessoalmente. Que sorte ainda termos grandes jornalistas que não se curvam aos parasitas do sistema. Que essa entrevista ajude o país a entender os riscos que ele ainda corre.

— Sem dúvida, moça. Riscos sempre existem.

— É melhor quando não são escondidos — encerrou enigmaticamente Carolina, se retirando da gruta.

Marilyn e Jennifer a acompanharam. O Aspone pediu permissão para acompanhar a entrevista, mas foi convidado a se retirar, junto com Gregório. Apenas Donald e Juscelino permaneceriam ao lado de Lacerda. Roy foi incumbido de levar tio Benjamin para um passeio na relva.

Reivindicando a credencial de "principal interlocutor" do ex-governador, além de parceiro de copo, o ébrio de Caxias se negou a sair da gruta. "O Lacerda não se garante sem mim", alegou. Roy não entrou no mérito. Só lhe disse que ele teria de acompanhá-lo, querendo ou não. Benjamin simulou um desmaio. Xeque-mate. Ficou "desacordado" até constatar que Roy e os demais tinham deixado a caverna e "acordou" quando a entrevista se iniciou.

— Vamos começar do começo, Carlos Lacerda: o senhor é candidato a presidente da República?

— Sou.

— Muito bem. Garante então que estará na corrida presidencial de 1989.

— Se vou concorrer na próxima eleição é o povo que dirá.

Carlos Castello Branco desligou o gravador, virou-se para Juscelino e disse que podiam ir embora. Imediatamente. Lacerda interveio, sobressaltado:

— Como assim, ir embora? E a entrevista?

— A entrevista só aconteceria se o senhor cumprisse o combinado. Como resolveu não cumprir, assunto encerrado.

Ante a perplexidade geral, tio Benjamin se levantou cambaleante e foi até Castelinho:

— Calma, seu Castello. Foi um mal-entendido. O Carlos disse que vai ser candidato ano que vem se o povo quiser. Ele só esqueceu de dizer que o povo quer! Tá meio esquecido, o Carlos. Anda bebendo pouco. Já avisei, mas ele não me ouve.

— É verdade. Acho que temos um mal-entendido aqui — embarcou Donald, aderindo à brigada contra incêndio do velho pinguço. — É um vício dos políticos colocarem tudo no condicional. Eles não querem se sentir impondo nada ao povo. Mas você é candidato ano que vem, não é, Carlos?

O empresário fuzilou o amigo com um olhar de "confirma, senão eu te mato".

— É... Sim... Sou...

— Olha aí. Tudo resolvido — decretou Donald, botando a mão no ombro de Castelinho e quase empurrando-o de volta para a poltrona. — Pode se sentar, Castello. Foi um mal-entendido. Benjamin, por que o copo do Castello está vazio?

O jornalista voltou a se sentar e religou o gravador, que se estivesse um pouco mais próximo teria captado os suspiros aliviados de Donald e Juscelino.

— Então vamos lá: qual será a sua primeira medida como presidente da República, se eleito em 1989?

— Vou propor ao Congresso Nacional a convocação de uma assembleia constituinte.

— O quê?! O país acabou de promulgar a nova Constituição!

— Eu fiquei sabendo. Mas infelizmente o que estão chamando de Constituição não é uma Constituição.

— Sua declaração é muito grave. Pode incentivar cidadãos a não cumprirem a Carta Magna.

— Então me permita retificar: a Constituição de 1988 é a nova Constituição da República Federativa do Brasil e deve ser respeitada por todos os cidadãos. O que eu quis dizer é que o texto aprovado é inadequado para uma constituição e pode trazer problemas sérios para o país no futuro.

— Com base em que o senhor desqualifica a Lei Maior?

— Basta olhar a Constituição dos Estados Unidos da América.

— O Brasil não é os Estados Unidos da América.

— Não. E também não é uma feira de boas intenções declamadas como poesia.

— O que o senhor tem contra as boas intenções?

— Nada. Tenho tudo contra a substituição de princípios legais por discursos bonitos.

— Os discursos são necessários para expor os princípios. O senhor é um tribuno e sabe disso.

— Não estou falando da tribuna, nem da oratória dos parlamentares. Estou falando de discursos que viraram letra constitucional. É uma constituição inchada, prolixa e confusa em vários pontos. Demagogia só vem antes do direito no dicionário.

— Dê exemplos, governador. A sua própria resposta está parecendo um discurso muito pouco objetivo.

— Sem problemas. O que é, por exemplo, "função social da terra"?

— É um princípio constitucional que visa combater o latifúndio improdutivo.

— Em primeiro lugar, uma constituição não pode existir para combater nada. Sei que você usou uma figura de linguagem. Mas o presidente da Constituinte inseriu de fato essa ideia de combate e até de revanche na elaboração da nova Carta. Tanto que a proclamou com "ódio e nojo" à ditadura. Se todo legislador usasse o estômago, e não o cérebro, a constituição de qualquer país só precisaria de uma frase: "olho por olho, dente por dente".

— O que tem isso a ver com o princípio da função social da terra?

— Função social da terra é só uma expressão que soa bem. Em termos de direito não quer dizer absolutamente nada.

— Não acha estranho que só o senhor tenha notado esse erro tão grave?

— Não sei se só eu notei. Estou cumprindo a minha obrigação de apontar.

— Então aponte.

— Pois não. Prosseguindo: estamos falando, na verdade, de um suposto princípio legal que na prática vai acabar sendo usado politicamente "contra" um suposto vilão. Se o inimigo escolhido for um grileiro ou um latifundiário que usa terras para especulação, a justiça poderá ser feita por linhas tortas. O país precisa realmente combater a grilagem de terras. Mas um grande produtor rural também poderá virar vítima dessa caçada.

— Não faz sentido. Se é um grande produtor, a terra é produtiva. Ou seja, cumpre a sua função social.

— Depende. Esse conceito é tão vago que um dia pode aparecer uma interpretação, legislativa ou judiciária, de que o cumprimento da função social da terra depende do número de trabalhadores rurais empregados nela, por exemplo. E aí? Quem vai poder dizer que não foi essa a intenção do constituinte?

— Qual é o problema se no futuro o legislador quiser aprimorar as garantias trabalhistas no campo?

— O problema é que assim ele não vai aprimorar garantia nenhuma. Canetada de deputado ou de juiz não cria mercado de trabalho. Ou você garante o direito à propriedade e à livre iniciativa, ou você não garante. Esse direito está na Constituição de 88. Mas colocaram lá outros direitos que são conflitantes com ele, descritos no texto constitucional de forma vaga. Ou seja: no futuro, o próprio direito à propriedade poderá ser atropelado por um regulamento demagógico.

— Isto não seria um certo alarmismo de direita?

— Direito à propriedade não é de direita. É um dos pilares de qualquer sociedade democrática. Não existe nenhum caso na história em que um regime de dirigismo estatal tenha sido mais favorável aos trabalhadores do que uma sociedade fundada na livre iniciativa.

— Então a Constituição Cidadã levará ao dirigismo estatal?

— Espero que não. Mas pode levar. Talvez aos poucos.

— Explique melhor a sua tese.

— A liberdade é um bem tão essencial quanto frágil. Enquanto a boa-fé predominar na interpretação dessa Constituição, estará tudo razoavelmente bem. Mas às vezes a má-fé se impõe. E aí eu nem quero imaginar a liberdade sendo roubada sob pretexto de defesa do consumidor, do ambiente, das minorias etc.

— Não são causas importantes?

— Por isso eu falei "sob o pretexto" de defendê-las. Valores capitais, como a liberdade, precisam estar no pódio, no altar, no olimpo de uma constituição. Não podem vir com asterisco. Não podem estar sujeitos a condicionantes em meio a uma lista interminável de "direitos" descritos, muitos deles, de forma pouco objetiva, quase lírica.

— Não é melhor ter direitos de mais, do que de menos?

— A Constituição de 88 parece um dicionário de boas intenções. Não é assim que se faz uma constituição. Quase conseguiram colocar teto de taxa de juros na Carta Magna! Jogaram tudo lá dentro. Isso não valoriza o direito. Ao contrário: banaliza e confunde.

— Por que o senhor disse que isso pode levar "aos poucos" a um estado autoritário?

— Estamos saindo agora de um regime autoritário. A sociedade está desorganizada, com inflação galopante, endividada, mas o princípio da liberdade está "em alta", digamos assim. É a reação transbordante ao longo período de fechamento.

— Isso não é bom?

— É ótimo. Fundamental. Mas não vai ser assim indefinidamente. Na mídia, por exemplo, hoje se fala de absolutamente tudo. Do bigode do Sarney à corrupção em grandes obras. A TV Globo estreou um programa de humor que esculhamba os próprios anunciantes da TV Globo. Ninguém barra nada. O país precisava mesmo desse banho de liberdade. Mas um dia esse ciclo se encerra e começam a voltar as tentações de controle. Aí eu quero ver se essa Constituição balofa segura o rojão: o pleno direito à livre iniciativa, à liberdade de concorrência, à liberdade de circulação, à liberdade de expressão.

— O senhor prevê um novo ciclo ditatorial?

— Não prevejo nada.

— Acha provável?

— Não sei. Acho possível o surgimento de uma onda autoritária sem regime ditatorial.

— Como seria isso?

— A civilização caminha sempre em busca da virtude. Mas há uma diferença abissal entre a evolução real e a mistificação civilizatória.

— Dê exemplos.

— A Revolução Industrial seria uma evolução real e o nazismo seria uma mistificação civilizatória.

— A falsa virtude.

— Exatamente. Uma utopia de organização social superior que chega a seduzir populações inteiras até se revelar como tirania. No caso, materializada num regime ditatorial explícito.

— O senhor vê no horizonte a tendência para um ciclo de mistificação civilizatória sem regime ditatorial explícito?

— Vejo.

— Por quê?

— O final deste século será virtuoso. Guerra Fria chegando ao fim, abertura soviética desmanchando mais um totalitarismo. Depois do sepultamento nazista e fascista, cai a ilusão comunista. Redução de conflitos, explosão tecnológica, computadores, trabalho cada vez mais inteligente, urbanização acelerada, qualidade de vida.

— Mas isso tudo é evolução real.

— Sem dúvida. Com a evolução real vem o aumento do bem-estar. Caricaturando um pouco, são os chamados "tempos fáceis". E é aí que costuma aparecer o terreno fértil para a mistificação, não me pergunte por quê.

— Pergunto, sim: por quê?

Lacerda sorriu pela primeira vez na entrevista. Castelinho arrematou a invertida:

— Se o senhor quer ser presidente tem que saber do que está falando.

— Ok, você venceu. Como diz aquela música da Blitz.

— Pelo visto o senhor se atualizou no esconderijo. Mas não estou vendo televisão aqui.

O entrevistado fez sinal para que o gravador fosse desligado e explicou:

— Me mudei pra essa gruta agora. Um X-9 entregou meu esconderijo.

— O Bustamante.

Lacerda encarou Juscelino, que fez um sinal negativo com a cabeça, para dizer que não tinha falado nada. Foi salvo pelo jornalista:

— Não foi o seu guarda-costas que me falou. Eu deduzi.

— Acredito.

— Que bom. Mas voltando: então o senhor tinha TV no esconderijo anterior?

— Não. Nem telefone. Só rádio e jornal.

— E os seus espiões.

— Não são espiões. São amigos que me ajudaram fazendo a ponte com a minha família e o mundo lá fora.

— E desmontando tocaias.

— Felizmente foram poucas. Mas nesse país não se pode brincar.

— O senhor não disse que são "tempos fáceis"?

Lacerda autorizou Castello a religar o gravador e respondeu:

— Eu disse que possivelmente estejamos entrando nos chamados "tempos fáceis", com a superação de grandes conflitos e os saltos tecnológicos. Para mim continuam difíceis, como você pode constatar.

— Não fuja da minha pergunta anterior: por que "tempos fáceis" favorecem a mistificação, ou o cultivo de falsas virtudes? E o que isso teria a ver com o risco de uma nova escalada autoritária?

— Meu amigo Donald, aqui presente, tem uma piada sobre isso. Talvez ela sirva pelo menos em parte como a resposta que não tenho. Diz o Donald que a humanidade é como um adolescente entediado: se não lhe derem nada pra fazer, inventa besteira.

Foi a vez de Castelinho sorrir. Aproveitou para dar um gole no copo abastecido por tio Benjamin e prosseguiu:

— E o que têm a ver as besteiras do adolescente entediado com a perspectiva de autoritarismo?

— Vou citar o Donald de novo.

— Assim vou ter que cobrar *royalties* — descontraiu o empresário.

— Que *royalties*, meu amigo? Estou te dando a fama pela caneta do maior colunista do país. O que você quer mais?

— Prefiro o anonimato. Política é muito perigoso. Se me distrair com vocês, acordo ministro da Fazenda.

— Quem será o seu ministro da Fazenda, Lacerda? — pegou de bate-pronto o jornalista.

— Estou entre dois nomes: Gregório Fortunato e Benjamin Vargas.

Castello entendeu a ironia, mas tio Benjamin levou a sério e abraçou a oportunidade, já com linguajar de primeiro escalão:

— Sou muito mais preparado que o Gregório, excelência. *Boy* sabe pagar conta, mas não sabe fazer conta.

— Vou pensar, Benjamin. Mas se você não encher meu copo agora, vou ter que te demitir por falha de abastecimento.

O candidato a ministro foi buscar o uísque, enquanto o entrevistador devolvia a ironia:

— Depois da aliança com Jango, uma homenagem a Getúlio. A campanha ainda não começou e o senhor já sabe como fazer para perder votos.

— Engano seu. Vou roubar votos do Brizola.

— O potencial é bom. Nota-se pelo tamanho da vaia que o senhor levou no debate com ele.

— Fui informado pela minha assessoria que foi a menor vaia já recebida por um adversário da Brizolândia.

— Então o senhor tem chances mesmo. Vamos aguardar as pesquisas.

A essa altura, Donald já estava arrependido por ter tentado descontrair o clima entre Lacerda e Castello, com a brincadeira do ministro da Fazenda. Aparentemente o jornalista estava dando corda para a galhofa, e veio à mente do empresário o alerta do tio Benjamin: o jornal poderia querer fazer Lacerda de idiota para agradar aos anunciantes descontentes com o destaque dado ao "morto-vivo" e seus alertas contra a ordem vigente.

O empresário arriscou uma tentativa de intervenção no rumo da prosa, tentando sutilmente alertar o amigo:

— Carlos, não seria melhor voltarmos ao tema da entrevista, para não desperdiçarmos o tempo do Castello?

— Tudo aqui é tema da entrevista — cortou o jornalista, deixando Donald ainda mais preocupado.

— Entendo. Mas não seria melhor concentrar nas ideias do candidato?

— O rumo da entrevista é o entrevistador quem dá — fuzilou Castelinho. — E não é proibido mostrar a irreverência do candidato. Isto não é um inquérito policial.

Apesar da bofetada verbal, Donald viu sobriedade nas palavras do jornalista e renovou sua confiança na premissa inicial: Carlos Castello Branco não iria permitir que uma entrevista sua com um político de primeira grandeza fosse transformada em zombaria. Mas ainda faltava levar uma espetada do colunista:

— Governador, vamos então retomar sua análise sobre o perigo dos "tempos fáceis" porque o seu amigo está ansioso para ser citado novamente por você.

— O Donald é um grande propagador do liberalismo nos Estados Unidos, e também no Brasil. Tem que ser citado sempre, em qualquer sociedade saudável. Aliás, no início do meu período de clandestinidade ele perdeu a memória num acidente de carro, que não foi acidente. Foi um atentado. Cometido pelas forças obscuras que me perseguem.

— Como o senhor sabe?

— Tenho prova de tudo. Pode escrever aí. Parte dessas provas foram levantadas pelo próprio Donald e sua equipe, além do Juscelino, que também foi vítima desse atentado. Estou lembrando isso porque felizmente o Donald recuperou a memória, mas quase perdemos esse pensador da democracia para os vampiros do sistema.

— Qual seria então a citação do pensamento do seu amigo? O senhor estava falando sobre o risco de uma nova escalada autoritária sem regime ditatorial.

— Exatamente. O Donald me alertou para um movimento novo que surgiu no país dele chamado "politicamente correto". A princípio é um movimento saudável, que estimula as pessoas a levarem o que consideram ético para suas atitudes cotidianas. Um exemplo simples: se você critica a poluição, tem que dar o exemplo e não jogar lixo na rua.

— Qual é o problema disso?

— O problema é que, em "tempos fáceis", a tendência à proliferação de regras de conduta que, teoricamente, distinguem os mais "civilizados" dos socialmente "negligentes", pode virar formas perigosas de discriminação e controle. Foi esse o alerta que o Donald me fez.

— Onde o senhor vê esse risco se concretizando no Brasil?

— Estamos vendo um desvio demagógico do humanismo. Conquistas importantes no terreno da liberdade sexual, racial e comportamental alcançadas nos últimos 20 anos estão sendo "mercantilizadas" por políticos, pelo próprio *business* e por oportunistas que se apresentam como ativistas.

— Não é só um modismo?

— Pode ser. Mas as sementes para uma cultura de perseguição às liberdades individuais estão sendo plantadas. Se as sociedades não fizerem logo a separação clara entre ética e demagogia, o século 21 pode trazer uma onda de autoritarismo dissimulado.

— Autoritarismo dissimulado?

— Sim. Práticas autoritárias e controladoras espalhadas em belas embalagens "civilizatórias" e "progressistas", sem precisar de regimes ditatoriais para impô-las.

— Como é possível uma sociedade livre como é a brasileira hoje aceitar uma coisa dessas?

— Simples: se a propaganda funciona, se uma massa significativa de indivíduos passa a confundir consciência cidadã com patrulha moralista, um dia você olha pro lado e constata que a sua liberdade já era.

— Sem precisar de um ditador?

— Pode ser que apareça um. O surto controlador espalhado pela população já foi base para a ascensão de regimes totalitários. Mas pode ser também que você continue chamando o seu país de democracia e cumprindo ordens do tiranete da esquina.

— Por isso a sua primeira medida como presidente da República, se eleito, será a convocação de uma nova Assembleia Constituinte, pouco mais de um ano depois de promulgada a nova Constituição. É um cavalo de pau na nação. Não tem paralelo na história. O senhor não teme ser considerado louco, ou no mínimo irresponsável?

— Quero propor uma Constituinte restrita, para reexaminar alguns pontos mais críticos da Carta de 88. Concordo que seria traumático e talvez inviável partir para uma Constituição inteiramente nova em tão pouco tempo.

— Os brasileiros estão otimistas com a nova Constituição. Não teme com essa proposta ser massacrado nas urnas?

— Pelo menos terei dado o meu alerta.

* * *

"LACERDA TEME VOLTA DO AUTORITARISMO
Ex-governador assume candidatura presidencial e quer nova Constituinte"

A manchete de primeira página do JB era a mais destacada por todas as bancas do Rio — e também de outras grandes capitais onde o jornal normalmente tinha colocação mais discreta.

A entrevista fora publicada na íntegra, sem armadilhas.

O meio político se revoltou contra a direção do JB, partindo para acusações de golpe contra a Constituição de 1988 e conluio com um político proscrito, cuja reaparição nebulosa ainda nem tinha sido devidamente investigada.

O meio empresarial também manifestou sua hostilidade ao jornal, com direito a debandada de anunciantes.

Entidades de classe dos setores público e privado, sindicatos e até ONGS soltaram notas de repúdio ao *Jornal do Brasil* e a Carlos Lacerda — pelo que consideraram, em uníssono, um atentado à nascente democracia brasileira.

Fora dos gabinetes e escritórios, a reação à entrevista era diferente. Nas ruas, nas praças, nos ônibus, nos trens e em tudo quanto era lugar se via o JB aberto nas mãos de leitores de todos os tipos, com as caras enfiadas na maçaroca de letrinhas que ocupavam quatro páginas inteiras.

As vendas explodiram e novas edições foram sendo rodadas ao longo do dia. De novo se estabeleceu o exótico mercado paralelo de exemplares de segunda mão — amassados, borrados de café e até rasgados.

O despachante e o *boy* chegaram da Cinelândia na gruta de Petrópolis trazendo a voz do povo. Muito excitados, falavam ao mesmo tempo e ninguém entendia nada. Carolina tentou extrair um resumo:

— Quer dizer que a entrevista do Lacerda é um sucesso?

— Tá todo mundo lendo — respondeu o Aspone. — Se é um sucesso eu não sei dizer.

— Como assim?

— Eu ouvi gente dizendo que o cara é doido — testemunhou Gregório.

— Onde?

— Vários lugares. Um lá no metrô disse que Lacerda na Presidência vai ser mais um João do Quadro.

— Jânio Quadros.

— Isso aí.

— Então não entenderam nada! — esbravejou Lacerda.

— Calma, doutor — interveio o Aspone. — Gregório não sabe nem o nome dos políticos. Uma certeza que eu tenho é que o povo quer ouvir Carlos Lacerda. O JB tá sendo disputado a tapa, ninguém me contou. Eu vi com esses olhos que a terra há de comer. Repito: só falo do que eu v...

Interrompendo o que prometia ser mais um discurso histórico do candidato a porta-voz de alguma coisa, Roy Vannata adentrou o recinto cavernoso com uma informação quente: atendera uma ligação no escritório da empresa com um convite para Lacerda, feito através de um grande construtor concorrente de Donald, que sabia de sua ligação com o ex-governador da Guanabara.

O filho desse construtor era estudante de engenharia e relatara uma reação febril à entrevista de Lacerda — não só entre seus colegas na PUC-RJ, como vinda de amigos e conhecidos de outras universidades, escolas, clubes etc. Ou seja: havia uma multidão de jovens mobilizada pelas palavras inesperadas do ex-governador no JB, com um caminhão de dúvidas misturadas com entusiasmo, esperança e preocupação.

O resultado era que um grupo da engenharia da PUC começara a coletar assinaturas de interessados num debate presidencial com a presença de Carlos Lacerda — e as assinaturas já eram milhares em menos de 24 horas. Tinham conseguido autorização da reitoria para a realização do debate nos pilotis da PUC, na Gávea, e convidariam todos os pré-candidatos à Presidência.

— É, Carlos. Agora nós temos o fato que tanto procurávamos — concluiu Donald. — E que coincidência: na Gávea, a metros de onde você escapou da morte. Agora você tem que reencontrar o seu destino. Pelo preço que for. É hora de sair da caverna.

Ninguém discordou. Lacerda se levantou do sofá mofado com expressão grave. Um a um, todos passaram a cumprimentá-lo silenciosamente, sem dizer adeus, nem até logo: Juscelino, Carolina, tio Benjamin, Marilyn Monroe, Gregório Fortunato, Donald Kalmar, Roy Vannata, Jennifer, Aspone. Levantar acampamento.

A aceitação do convite foi levada aos organizadores do debate no Rio por Roy. O evento foi marcado. Donald organizou a descida de Lacerda no táxi de Juscelino diretamente do esconderijo para a PUC no dia do debate. No meio--tempo, o agora candidato declarado à Presidência permaneceria concentrado na gruta, se preparando, apenas com a companhia de Carolina, a única que permaneceria escondida.

Tudo correu conforme o planejado, exceto para os organizadores do debate presidencial: nenhum outro candidato confirmou participação. Na primeira hora do dia marcado, Roy foi informado de que só Lacerda compareceria. Sem piscar, o braço direito de Donald respondeu aos organizadores que isso não mudava nada no compromisso assumido.

Na hora marcada para o evento, os pilotis da PUC estavam cobertos por uma multidão que transbordava para as áreas adjacentes do campus. O público já estava informado de que apenas Carlos Lacerda compareceria. Ninguém arredou pé.

Mas Lacerda também não apareceu.

O SONHO ACABOU

Juscelino chegou pontualmente ao meio-dia no pequeno largo de terra onde pararia o táxi para subir a pé a trilha que levava à gruta. Eram cerca de quinze minutos de subida. Ele calculou meia hora de decida com Lacerda, em passo mais lento. Pôs na conta mais quinze minutos de conversa com Carolina lá em cima. Comunicaria a ela que, após o debate na PUC, entregaria Lacerda para sua família e voltaria para a gruta. Tinha decidido que ela não passaria mais uma única noite sozinha.

O debate estava marcado para as 18 horas. Contando as duas horas Petrópolis-Rio, mais um possível trânsito do Túnel Rebouças até a Gávea, estava com uma margem de cerca de duas horas. Queria fazer tudo com tranquilidade para não prejudicar a concentração de Lacerda para o evento.

O local onde deixaria o carro era absolutamente silencioso. Não passava ninguém ali. Mas dessa vez, ao se aproximar do ponto de parada, teve a impressão de ouvir um barulho de motor. Pôs a Brasília escorregando em ponto morto para captar melhor o ruído externo. Ele cresceu e logo ficou nítido o som de uma motocicleta acelerando.

Em mais alguns segundos, a motocicleta apareceu. Vinha no sentido contrário ao seu, proveniente do larguinho para onde ele se dirigia. Juscelino engoliu em seco.

Ao ver o táxi, o piloto da moto acelerou forte. Cruzou com ele já em boa velocidade e sumiu morro abaixo. Num relance, Juscelino conseguiu ver o rosto do homem que estava na garupa da moto: bem magro, cabeça raspada e uma grande cicatriz do queixo até a orelha. A descrição exata do fotógrafo flagrado por Roy e o Aspone tramando a eliminação de Lacerda.

Fez em cinco minutos a subida de quinze, correndo alucinadamente com o coração na boca. Irrompeu na gruta gritando por Carolina e Lacerda. Sem resposta. Não havia ninguém lá dentro.

O taxista atravessou a fenda de volta para o exterior e começou a contornar o paredão rochoso. No ponto em que o terreno afundava em direção à vertente mais íngreme da montanha, avistou Lacerda e Carolina deitados na relva. Ambos sem vida.

* * *

Roy Vannata chegou à PUC às 18h30. A multidão estava impaciente, mas ninguém ia embora. O assessor de Donald localizou o filho do construtor que lhe telefonara propondo o evento e deu a notícia: tinham sido dois tiros no peito.

Completamente tonto, o estudante cambaleou até o microfone colocado na mesa para o debate nos pilotis e fez o anúncio do jeito conseguiu:

— Senhoras e senhores, Carlos Lacerda está morto.

A balbúrdia tomou conta do campus universitário. As reações de choque misturavam-se às indagações sobre a causa e as circunstâncias da morte. Rapidamente começou a circular a única informação disponível — de que o ex-governador tinha sido baleado em Petrópolis.

Em alguns minutos, o alvoroço foi dando lugar à perplexidade. O falatório foi arrefecendo e o público começou a se retirar. Como num movimento coordenado, a multidão que fora ouvir Lacerda virou um rio de gente, lento e silencioso, se movendo para fora da universidade com o arrastar dos sapatos no chão dando o tom mórbido. Um cortejo.

Roy se desgarrou da correnteza e entrou em seu carro para ir ao encontro de Donald. No caminho ligou o rádio. A notícia estava em todas as estações. Numa delas, um especialista convidado tentava analisar a ocorrência trágica a partir do depoimento à polícia do taxista Juscelino Kubitschek.

Segundo o especialista, pelas circunstâncias descritas, tendo o corpo do ex-governador sido encontrado num local ermo junto ao corpo de uma mulher jovem, o "mais provável" era crime passional:

— Vamos aguardar as investigações, mas por enquanto eu descartaria a hipótese de crime político.

Roy desligou o rádio.

Donald estava grogue, sob uma dose pesada de tranquilizantes. Roy pediu que o chefe aguentasse o tranco, em homenagem a Lacerda. E comentou a tese que acabara de escutar no rádio. Os olhos do empresário faiscaram, mais vivos do que nunca, como se o *doping* tivesse sido suspenso pela ira:

— Claro que não foi crime político, Roy. O Carlos foi suicidado. Assim a democracia brasileira fica mais confortável.

* * *

Um mês depois da morte de Lacerda e Carolina, Marilyn Monroe foi visitar Juscelino em Caxias. O fotógrafo mercenário tinha sido encontrado morto no bar dela. A balconista vinha informar que tinha servido uma cachaça "especial" para o freguês.

Quem o teria guiado até a gruta?

A pergunta dilacerante torturava todos os sócios do segredo.

— Eu não fui — declarou tio Benjamin, que andava bebendo um pouco mais e achou que os outros estavam olhando para ele de um jeito estranho.

Dona Diamantina falou com firmeza:

— Juscelino.

— Eu?! — respondeu o taxista, aturdido.

— Tem outro Juscelino aqui?

— Não...

— Então é você mesmo. Para de sonhar. Levanta daí, lava esse rosto e vai trabalhar. E vê se não deixa entrar qualquer um no seu táxi.

FOLHA DE S. PAULO

TANCREDO NEVES ESTÁ MORTO; CORPO É VELADO NO PLANALTO; SARNEY REAFIRMA MUDANÇAS

O presidente eleito Tancredo Neves morreu

JANGO

Uma síncope na madrugada. E a morte.

Dona Maria Teresa, sua mulher, foi despertada às 2h30 pelos gemidos do ex-presidente, mas não teve tempo de chamar o médico. Por Júlio Delgado, especial para o Jornal da Tarde

O VETO DE LOPEZ REGA

O TEMOR A ATENTADOS

As homenagens finais, na matriz de São Borja.

-- AGRADECIMENTOS

Anna Leticia,

Vivi,

Gisela,

João,

Maria,

Manoel,

José Antônio,

R. Batista,

Pedro e

Fernando.

CAMPANHA

Há um grande número de pessoas vivendo com HIV e hepatites virais que não se trata. Gratuito e sigiloso, fazer o teste de HIV e hepatite é mais rápido do que ler um livro.

FAÇA O TESTE. NÃO FIQUE NA DÚVIDA!

ESTA OBRA FOI IMPRESSA
EM FEVEREIRO DE 2024